Patrick M. Lencioni

Die 5 Dysfunktionen eines Teams

Patrick M. Lencioni

Die 5 Dysfunktionen eines Teams

Aus dem Englischen von Andreas Schieberle

WILEY-VCH GmbH

© 2025 Wiley-VCH GmbH, Boschstraße 12, 69469 Weinheim, Germany

Bibliografische Information der Deutschen Nationalbibliothek

Die Deutsche Nationalbibliothek verzeichnet diese Publikation in der Deutschen Nationalbibliografie; detaillierte bibliografische Daten sind im Internet über <http://dnb.d-nb.de> abrufbar.

Print ISBN: 978-3-527-51223-2
ePub ISBN: 978-3-527-69035-0

Umschlaggestaltung: Christian Kalkert, Buchkunst & Illustration, Birken-Honigsessen
Coverfoto: business people © Konstantin, Yuganov/Fotolia
Satz: Straive, Chennai, India
Druck und Bindung:

Bevollmächtigte des Herstellers gemäß EU-Produktsicherheitsverordnung ist die Wiley-VCH GmbH, Boschstr. 12, 69469 Weinheim, Deutschland, E-Mail: Product_Safety@wiley.com.

Inhalt

Teil III   SCHWERSTARBEIT

Teil IV   DIE MASSNAHMEN BEGINNEN ZU GREIFEN

DAS MODELL

Für meinen Vater, der mir den Wert von Arbeit vermittelt hat.
Und für meine Mutter, die mich zum Schreiben ermuntert hat.

Einleitung

Nicht die Finanzen. Nicht die Strategie. Nicht die Technik. Es bleibt die Teamarbeit, die den größten Wettbewerbsvorsprung verschafft, sowohl aufgrund ihrer Schlagkraft als auch aufgrund ihrer Seltenheit.

Ein Freund, der Gründer eines Unternehmens, das inzwischen auf eine Milliarde Dollar Jahresumsatz angewachsen ist, hat die Schlagkraft von Teamwork für mich einmal am besten ausgedrückt: »Wenn du es schaffst, dass alle Mitarbeiter deines Betriebs in ein und dieselbe Richtung rudern, dann kannst du jede Branche beherrschen, auf jedem Markt, gegen jede Konkurrenz, jederzeit.«

Wenn ich diese Aussage vor einer Gruppe von Führungskräften wiederhole, dann nicken immer alle sofort mit dem Kopf, aber es wirkt irgendwie verzweifelt. Als ob sie die Wahrheit dieses Spruchs zwar erfassen, gleichzeitig aber vor der Unmöglichkeit seiner tatsächlichen Umsetzung resignieren würden.

Und hier kommt die Seltenheit von Teamwork ins Spiel. Trotz aller Aufmerksamkeit, die das Thema über die Jahre hinweg von Wissenschaftlern, Trainern, Lehrern und den Medien erfahren hat, bleibt Teamarbeit in den meisten Betrieben doch immer noch so rar wie eh und je. Es bleibt eine Tatsache, dass Teams, weil sie aus unvollkommenen menschlichen Wesen bestehen, inhärent dysfunktional sind.

Das heißt nun aber nicht, dass Teamarbeit von vornherein zum Scheitern verurteilt wäre. Ganz und gar nicht. Im Gegenteil, ein starkes Team zu bilden ist nicht nur möglich, sondern sogar bemerkenswert einfach. Aber es ist auch schmerzlich schwierig.

Doch, Sie haben richtig gelesen! Wie bei so vielen Dingen im Leben geht es bei Teamarbeit darum, mit einer Reihe von Verhaltensweisen klarzukommen, die theoretisch alle ganz unkompliziert, in der täglichen Praxis allerdings höchst schwierig umzusetzen sind. Erfolg haben nur Gruppen, denen es gelingt, jene allzu menschlichen Verhaltenstendenzen zu überwinden, die ein Team stören und den Keim der Dysfunktionalität in sich tragen.

Wie sich zeigt, gelten diese Prinzipien nicht nur für Teamwork. Tatsächlich bin ich ein wenig zufällig auf sie gestoßen, als ich eine Theorie über Führungsverhalten weiterverfolgte.

Vor einigen Jahren habe ich mein erstes Buch *Die fünf Versuchungen eines CEO* (Titel des englischen Originals: *The Five Temptations of a CEO*) über die verhaltensbedingten Fallen geschrieben, die auf Führungskräfte lauern. Im Zuge der Zusammenarbeit mit meinen Kunden stellte ich fest, dass einige von ihnen meine Theorien dazu »missbrauchten«, die Leistung ihrer Führungs-*Teams* zu beurteilen und zu verbessern – und das mit Erfolg!

Und so wurde mir klar, dass die besagten fünf Versuchungen nicht nur für einzelne Führungskräfte gelten, sondern – mit ein paar Modifikationen – auch für Gruppen. Und das nicht nur in Unternehmen. Geistliche, Trainer, Lehrer und viele andere stellten fest, dass die besagten Prinzipien in ihrer Welt genauso gelten wie auf der Führungsetage eines multinationalen Unternehmens. Und so kam es zu diesem Buch.

Wie meine anderen Bücher auch, beginnt *Die fünf Dysfunktionen eines Teams* mit einer Story, die sich im Kontext eines realistischen, aber fiktionalen Betriebs abspielt. Nach meiner Erfahrung gestattet dieses Vorgehen den Leserinnen und Lesern ein effektiveres Lernen, weil sie sich in Story und Charaktere hineinversetzen können. Es erleichtert auch die Vorstellung, wie diese Prinzipien in einem Umfeld der wirklichen, nicht theoretischen Welt in die Tat umzusetzen sind, in der Arbeitstempo und tägliche Ablenkungen oft schon die einfachsten Aufgaben zur Herausforderung werden lassen.

Um Ihnen zu helfen, den Stoff in Ihrem eigenen Unternehmen zur Anwendung zu bringen, folgt auf diese Story ein kurzer Abschnitt, in dem die fünf Dysfunktionen detailliert dargestellt werden. Dieser Abschnitt enthält auch eine Team-Selbsteinschätzung und stellt Werkzeuge vor, mit denen sich Probleme beheben lassen, die vielleicht Ihr eigenes Team belasten.

Auch wenn dieses Buch auf meiner Zusammenarbeit mit den Geschäftsführern von Unternehmen und ihren Managementteams beruht, sind die Theorien letztlich doch für jeden von praktischem Nutzen, der sich für Teamwork interessiert, ganz gleich, ob Sie nun Leiterin oder Leiter einer kleinen Abteilung innerhalb eines Unternehmens sind oder aber einfach Mitglied eines Teams, das ein wenig Verbesserung vertragen könnte. Wie auch immer, ich hoffe aufrichtig, dass dieses Buch Ihrem Team helfen kann, seine ganz speziellen Dysfunktionen zu überwinden, damit es mehr erreichen kann, als sich eine Einzelperson auch nur erträumen könnte. Denn das ist letztlich die wahre Stärke von Teamarbeit.

DIE FABEL

Glück gehabt

Nur eine einzige Person war der Meinung gewesen, dass Kathryn die richtige Wahl für die Besetzung des Geschäftsführer-Postens bei DecisionTech, Inc., sei. Glücklicherweise war diese Person der Chairman gewesen, der Vorstandsvorsitzende.

Und so übernahm Kathryn Petersen weniger als einen Monat nach der Entlassung des bisherigen Geschäftsführers die Zügel bei einem Unternehmen, das nur zwei Jahre zuvor noch eines der höchstgepriesenen, finanziell am besten aufgestellten und vielversprechendsten Unternehmen in der jüngeren Geschichte des Silicon Valley gewesen war. Sie konnte nicht ahnen, wie tief das Unternehmen in so kurzer Zeit gesunken war und was ihr dort in den nächsten Monaten alles blühte.

Teil I
SCHWACHE LEISTUNG

Vorgeschichte

DecisionTech hatte seinen Standort in Half Moon Bay, einem landwirtschaftlich geprägten nebligen Küstenort jenseits der Hügel der San Francisco Bay. Streng genommen gehört das gar nicht mehr zum Silicon Valley, aber Silicon Valley ist nicht unbedingt in erster Linie ein geografischer, sondern eher ein kultureller Begriff. Und in dieser Hinsicht gehörte DecisionTech ohne jede Frage dazu.

DecisionTech hatte das erfahrenste – und teuerste – Führungsteam, das man sich nur vorstellen konnte, einen allem Anschein nach wasserdichten Geschäftsplan und mehr erstklassige Investoren, als sich ein junges Unternehmen nur wünschen kann. Selbst die vorsichtigsten Investoren rissen sich darum, hier Kapital anzulegen, und begabte Ingenieure reichten ihre Lebensläufe schon ein, bevor überhaupt Büroraum angemietet war.

Aber das war vor fast zwei Jahren gewesen, und das ist für ein Start-up-Unternehmen im Technologie-Sektor fast ein ganzes Leben. Nach den ersten euphorischen Monaten seines Bestehens begann das Unternehmen laufend Enttäuschungen zu erleben. Entscheidende Termine wurden nicht eingehalten. Wichtige Mitarbeiter unterhalb der Ebene der Geschäftsführung begannen unerwartet das Unternehmen zu verlassen. Die Stimmung verschlechterte sich zusehends. Und dies trotz all dem ansehnlichen Vorsprung, den sich DecisionTech erarbeitet hatte.

Am zweiten Jahrestag der Unternehmensgründung verständigte sich der Vorstand dann einstimmig darauf, Jeff Shanley, den 37-jährigen Geschäftsführer und Mitgründer, um seinen Rücktritt zu »bitten«. Ihm wurde stattdessen die Leitung des Bereichs geschäftliche Entwicklung angeboten, und zur Überraschung seiner Kollegen nahm er diese Degradierung tatsächlich an, da er sich die potenziell hohe Ausschüttung nicht entgehen lassen wollte, die bei einem Börsengang des Unternehmens winkte. Und selbst im schwierigen geschäftlichen Umfeld des Silicon Valley hatte das Unternehmen alle Gründe, tatsächlich an die Börse zu gehen.

Keiner der 150 Mitarbeiter bei DecisionTech war von Jeffs Absetzung geschockt. Die meisten konnten ihn zwar persönlich gut leiden, aber es ließ sich auch nicht bestreiten, dass sich die Arbeitsatmosphäre unter seiner Leitung doch arg verschlechtert hatte. Intrigen unter Managern waren zur Kunstform geworden. Es herrschte keine Einigkeit und Kameradschaft im Team, was zu gedämpftem Engagement führte. Alles, was zu erledigen war, dauerte immer viel zu lange, und auch dann wirkte es immer noch unausgegoren.

Mancher Vorstand hätte womöglich mehr Geduld gehabt mit einem Management-Team, das außer Tritt geraten war. Bei DecisionTech war das nicht der Fall. Es stand einfach zu viel auf dem Spiel und das Profil war viel zu gut, um das Unternehmen unter Bürointrigen und Machtspielchen leiden zu lassen. DecisionTech hatte sich im Silicon Valley bereits den Ruf erworben, ein unangenehmer Arbeitsplatz zu sein, an dem fiese Machenschaften vorherrschten, und der Vorstand konnte sich eine solche Negativ-Publicity nicht leisten, zumal die Zukunft noch vor kurzer Zeit so rosig ausgesehen hatte.

Jemand musste für die schlechte Situation die Verantwortung übernehmen, und Jeff war der Mann an der Spitze. Alle wirkten erleichtert, als der Vorstand die Entscheidung bekannt gab ihn abzusetzen.

Bis drei Wochen später Kathryn eingestellt wurde.

Kathryn

Die Manager waren sich nicht darüber einig, welche von Kathryns Eigenschaften eigentlich das größte Problem darstellte. Denn es waren so viele.

Zunächst einmal war sie schon alt. Uralt, nach Silicon-Valley-Maßstäben. Kathryn war 57.

Dann hatte sie auch keine echte Hightech-Erfahrung, abgesehen vielleicht von einer Zeit als Vorstandsmitglied bei Trinity Systems, einem großen Technologie-Unternehmen in San Francisco. Den größten Teil ihrer Karriere hatte sie aber im betrieblichen Bereich bei Unternehmen gearbeitet, die ganz eindeutig dem Lowtech-Sektor zuzurechnen waren, das bekannteste davon war ein Automobilhersteller.

Aber abgesehen von Alter und Erfahrung schien Kathryn vor allen Dingen nicht zur DecisionTech-Kultur zu passen.

Sie hatte ihre Karriere beim Militär begonnen und dann einen Lehrer und Basketballtrainer einer örtlichen Highschool geheiratet. Nachdem sie drei Jungs großgezogen hatte, hatte sie zunächst ein paar Jahre lang Siebtklässler unterrichtet, bevor sie ihre Vorliebe fürs Geschäftsleben entdeckte.

Im Alter von 37 Jahren schrieb sich Kathryn dann für einen dreijährigen Abendkurs an einer Wirtschaftsschule ein und schloss die Ausbildung ein Semester vorzeitig an der Cal State University Hayward ab, was nicht gerade Harvard oder Stanford entsprach. Die nächsten 15 Jahre verbrachte sie dann mehr oder weniger im produzierenden Gewerbe, bis sie mit 54 in den Ruhestand ging.

Die Tatsache, dass Kathryn eine Frau war, stellte dagegen kein Problem dar: Zwei Mitglieder des Managementteams waren selber Frauen; und da alle Managementmitarbeiter ihre Berufserfahrung zum größten Teil in der als eher progressiv geltenden Hightech-Welt gesammelt hatten, hatten die meisten von ihnen in ihrer Laufbahn auch schon Frauen als Vorgesetzte gehabt. Aber selbst wenn das Geschlecht eine Rolle gespielt hätte, wäre das völlig verblasst vor dem offensichtlichen Kulturkonflikt.

Es war nicht zu übersehen, dass Kathryn den Unterlagen zufolge »alte Schule« war und der Produktionswelt entstammte. Das stellte einen starken Kontrast dar zu den Führungskräften und dem mittleren Management bei DecisionTech, die meist kaum Arbeitserfahrung außerhalb des Silicon Valley vorweisen konnten. Manche gaben sogar damit an, dass sie seit ihrem College-Abschluss – abgesehen von Hochzeiten – noch nie einen Anzug getragen hätten.

Es war also keine Überraschung, dass die Vorstandsmitglieder nach der ersten Lektüre von Kathryns Lebenslauf den Verstand des Vorsitzenden anzweifelten, als er Kathryn für die Stelle vorschlug. Aber nach und nach brach er ihren Widerstand.

Erstens glaubte der Vorstand seinem Vorsitzenden, als er ihnen klipp und klar versicherte, Kathryn werde Erfolg haben. Und zweitens war er dafür bekannt, einen guten Riecher für Personal zu haben, von dem Problem mit Jeff einmal abgesehen. Er würde sicherlich nicht denselben Fehler zweimal nacheinander machen, dachten sie sich.

Aber am wichtigsten war vielleicht (obwohl das niemand zugeben wollte), dass sich DecisionTech in einer verzweifelten Lage befand. Der Vorstandsvorsitzende wies darauf hin, dass angesichts der gegenwärtigen Situation des angeschlagenen Unternehmens offensichtlich nicht allzu viele fähige Manager bereit waren, einen so aufreibenden Job zu übernehmen. »Wir sollten uns glücklich schätzen, dass uns eine so fähige Führungskraft wie Kathryn zur Verfügung steht«, argumentierte er erfolgreich.

Ob das nun stimmte oder nicht, der Vorstandsvorsitzende war entschlossen, nur jemanden einzustellen, den er kannte und dem er vertraute. Als er Kathryn anrief, um ihr von ihrem neuen Job zu berichten, konnte er nicht ahnen, dass er seine Entscheidung nur wenige Wochen später bereits wieder bereuen würde.

Die Gründe

Niemand war über das Angebot überraschter als Kathryn. Auch wenn sie den Vorstandsvorsitzenden persönlich schon seit vielen Jahren kannte (Kathryn hatte ihn zum ersten Mal getroffen, als ihr Mann das Training seines ältesten Sohnes auf der Highschool leitete), so hätte sie doch nie gedacht, dass er eine so hohe Meinung von ihr als Führungskraft hatte.

Ihre Bekanntschaft war im Wesentlichen privater Natur gewesen und hatte sich um Dinge wie Familie, Schule und Sportwettkämpfe gedreht. Nach Kathryns Einschätzung beschränkte sich sein Wissen über sie und ihr Leben im Großen und Ganzen auf ihre Rolle als Mutter und Trainerfrau.

In Wirklichkeit aber hatte der Vorstandsvorsitzende Kathryns Karriere über all die Jahre mit großem Interesse verfolgt, weil er beeindruckt war, welche Erfolge sie mit ihrer relativ bescheidenen Ausbildung erzielte. In weniger als fünf Jahren war sie zur Betriebsleiterin des einzigen Automobilwerks der Bay Area aufgestiegen, eines US-japanischen

Joint Ventures. Sie hatte den Job fast ein Jahrzehnt lang innegehabt und das Werk in dieser Zeit zu einem der erfolgreichsten Gemeinschaftsunternehmen des Landes gemacht. Der Vorstandsvorsitzende verstand zwar wenig von der Autoindustrie, aber er wusste eines über Kathryn, was ihn davon überzeugte, dass sie genau die Richtige wäre, um die Probleme bei DecisionTech zu lösen.

Sie hatte ein erstaunliches Talent, Teams zu bilden.

Murren

Wenn die DecisionTech-Manager schon bei Kathryns Einstellung ihre Zweifel gehabt hatten, so wurden nach den ersten zwei Wochen ihrer Tätigkeit daraus ernste Besorgnisse.

Und das lag nicht etwa daran, dass Kathryn etwas Umstrittenes oder Unangebrachtes getan hätte. Es lag eher daran, dass sie anscheinend gar nichts tat.

Nach einer kurzen Vorstellung am ersten Tag und anschließenden persönlichen Gesprächen mit jedem ihrer direkten Untergebenen verbrachte Kathryn fast die ganze Zeit damit, durch die Gänge zu laufen, sich mit Belegschaftsmitgliedern zu unterhalten und als stiller Beobachter an allen möglichen Besprechungen teilzunehmen. Und wohl am irritierendsten war, dass sie tatsächlich Jeff Shanley bat, weiterhin die wöchentlichen Konferenzen des Managementstabes zu leiten, bei denen sie selbst nur zuhörte und sich Notizen machte.

Die einzige wirkliche Maßnahme, die Kathryn in diesen ersten Wochen ergriffen hatte, war die Ankündigung einer Reihe zweitägiger Workshops für das Management im Napa Valley im Lauf der kommenden Monate gewesen. Und diese unglaublich freche Idee, ihre Mitarbeiter angesichts all der anstehenden Tagesarbeit so viele Tage von ihren Schreibtischen fernhalten zu wollen, wirkte, als wollte sie ihren Gegnern noch zusätzliche Munition liefern.

Und um alles noch schlimmer zu machen, lehnte Kathryn auch noch ab, als jemand ein konkretes Diskussionsthema für den ersten Workshop vorschlug. Sie hatte dafür schon ihre eigene Agenda.

Auch der Vorstandsvorsitzende war angesichts der Berichte über Kathryns Leistungen in der Anfangszeit ein wenig überrascht und entnervt. Er kam zu dem Schluss, wenn es mit ihr nicht laufen sollte, dann würden sie wohl am besten beide zusammen gehen. Und das schien sich allmählich auch als wahrscheinlichstes Ergebnis abzuzeichnen.

Beobachtungen

Während der ersten zwei Wochen, in denen sie die Probleme bei DecisionTech beobachtet hatte, gab es für Kathryn mehr als einen Moment, in dem sie sich fragte, ob sie den Job wirklich hätte annehmen sollen. Aber sie wusste selbst, dass es höchst unwahrscheinlich gewesen wäre, dass sie ihn ablehnte. Ihr Ruhestand hatte sie unruhig gemacht, und neue Herausforderungen waren für sie schon immer spannend gewesen.

Dass DecisionTech eine Herausforderung darstellte, war in der Tat keine Frage, aber die Verhältnisse lagen hier doch etwas anders. Angst zu scheitern hatte sie zwar noch nie gekannt, aber die Gefahr, den Vorstandsvorsitzenden in Mitleidenschaft zu ziehen, beunruhigte Kathryn doch etwas. Die Möglichkeit, so spät in der Karriere noch ihren guten Ruf zu beschädigen, und das auch noch im Kreis von Freunden und Familie, war eine Aussicht, die auch den Selbstsichersten ins Grübeln gebracht hätte. Selbstsicher genug war Kathryn jedenfalls.

Nachdem sie ihre Zeit beim Militär überstanden, ihre Jungs großgezogen, zahllose nervenaufreibende Basketballspiele mitverfolgt und sich gegen Gewerkschaftsbosse behauptet hatte, hatte sie nun mit Sicherheit nicht vor, sich von einem Häuflein harmloser Yuppies beeindrucken zu lassen, für die beginnender Haarausfall und erster Bauchansatz das Schlimmste waren, was sie in ihrem bisherigen Leben durchgemacht hatten. Sie war überzeugt, solange ihr der Vorstand nur genügend Zeit und Spielraum ließ, würde sie den Umschwung bei DecisionTech schon schaffen.

Ihr Mangel an tiefergehender Erfahrung im Software-Bereich machte Kathryn keine Sorgen. Sie war sich sogar sicher, das verschaffe ihr einen gewissen Vorteil. Denn die meisten Mitglieder ihres Stabes wirkten durch ihre technischen Kenntnisse fast wie gelähmt, so als wären sie persönlich dafür verantwortlich, die Programme und das Produktdesign zu entwickeln, mit denen der Laden wieder nach vorn gebracht werden konnte.

Kathryn war sich darüber im Klaren, dass Jack Welch kein Toaster-Experte sein musste, um General Electric zum Erfolg zu führen, und dass Herb Kelleher keine lebenslange Pilotenerfahrung brauchte, um Southwest Airlines aufzubauen. Auch wenn ihr begrenzter technischer Background anderes nahegelegt hätte, Kathryn war sich recht sicher, dass ihre Kenntnisse über Unternehmens-Software und -Technik absolut ausreichten, um DecisionTech aus der gegenwärtigen Malaise herauszuführen.

Was sie allerdings nicht wissen konnte, als sie den Job annahm, war, wie dysfunktional ihr Managementteam tatsächlich war, und dass es sie in einem Maße herausfordern würde, wie sie es zuvor noch nie erlebt hatte.

Der Stab

Die Mitarbeiter von DecisionTech bezeichneten ihr Topmanagement als »der Stab«. Niemand sprach je von einem »Team«, und Kathryn beschloss, dass das kein Zufall war.

Trotz unbestreitbarer Intelligenz und beeindruckender Ausbildung war das Verhalten des Stabes auf Konferenzen weit schlimmer als alles, was Kathryn in der Automobilwelt je zu sehen bekommen hatte. Es war zwar keine offene Feindseligkeit zu erkennen und es kam auch nicht zu Streitereien, aber eine grundlegende Spannung war dennoch unübersehbar. In der Folge wurden nie wirkliche Entscheidungen getroffen; die Diskussionen waren lahm und langweilig, es kam kaum einmal zu einem echten Austausch; und jeder schien das Ende der Konferenzen immer geradezu herbeizusehnen.

Und dennoch, so schlecht das Team auch war, einzeln betrachtet handelte es sich doch bei allen um gutwillige und vernünftige Leute. Mit ein paar Ausnahmen.

Jeff – vorheriger Geschäftsführer; Bereich geschäftliche Entwicklung

Jeff Shanley war im Wesentlichen ein Generalist, der das Networking im Silicon Valley liebte. Er hatte damals einen Gutteil des Startkapitals für das Unternehmen beschafft und viele der gegenwärtigen Manager für das Unternehmen interessiert. Wenn es um Kapitalbeschaffung und Personaleinstellung ging, konnte niemand sein Können bestreiten. Wenn es um Management ging, lag die Sache schon etwas anders.

Jeff leitete die Stabskonferenzen, als wäre er der Vorsitzende einer Studentenorganisation, der aus einem Lehrbuch für richtiges Procedere abliest. Stets verteilte er vor den Sitzungen eine Tagesordnung, und immer gab es hinterher ein detailliertes Protokoll. Und anders als in den meisten anderen Hightech-Unternehmen begannen seine Konferenzen für gewöhnlich pünktlich auf die Minute und endeten stets zur vorgesehenen Zeit. Die Tatsache, dass auf diesen Konferenzen nie etwas erreicht wurde, schien ihn nicht weiter zu stören.

Trotz seiner Degradierung hatte Jeff einen Platz im Vorstand behalten. Anfangs befürchtete Kathryn natürlich, dass Jeff ihr übel gesonnen sein könnte, weil sie seinen Posten übernommen hatte, aber mit der Zeit bekam sie den Eindruck, dass Jeff geradezu erleichtert wirkte, seine Management-Pflichten los zu sein. Seine Mitgliedschaft im Vorstand und in ihrem Managementteam machte Kathryn keine Sorgen. Nach ihrer Einschätzung trug er das Herz auf dem rechten Fleck.

Mikey – Marketing

Marketing war für DecisionTech eine ganz entscheidende Funktion, und der Vorstand war begeistert gewesen, als er für diese Aufgabe eine Person gefunden hatte, die so gesucht war wie Michele Bebe. Mikey, wie sie gern genannt wurde, war im ganzen Silicon Valley als Genie bekannt, wenn es um den Aufbau einer Marke ging. Was es umso erstaunlicher machte, dass ihr einige grundlegende Fähigkeiten im sozialen Miteinander zu fehlen schienen.

Auf den Konferenzen redete sie zwar mehr als die anderen und brachte manch brillante Idee in die Diskussion ein, aber viel häufiger klagte sie nur, dass bei ihren früheren Arbeitgebern alles besser gewesen sei als bei DecisionTech. Es wirkte fast, als sei sie nur als Zuschauerin oder, noch besser gesagt, als Opfer äußerer Umstände bei ihrem neuen Unternehmen. Sie stritt sich zwar nie mit ihren Sitzungskollegen, aber sie war bekannt dafür, dass sie genervt die Augen verdrehen konnte, wenn jemand in puncto Marketing anderer Meinung war als sie. Kathryn kam zu dem Schluss, dass Mikey einfach nicht klar war, wie sie wirkte. Denn niemand würde sich ihrer Meinung nach bewusst so verhalten.

Für Kathryn war es insgesamt keine Überraschung, dass Mikey trotz all ihrer Talente und Fähigkeiten bei den anderen Mitgliedern des Stabs am unbeliebtesten war. Mit Ausnahme vielleicht von Martin.

Martin – Cheftechniker

Unternehmensmitgründer Martin Gilmore kam bei DecisionTech einem Erfinder am nächsten. Er hatte die ursprünglichen technischen Spezifika für das Paradeprodukt des Unternehmens entwickelt, und auch wenn die endgültige Produktentwicklung dann zum großen Teil von anderen durchgeführt worden war, bezeichneten die Manager Martin doch oft als den Hüter der Kronjuwelen. Diese Analogie war zumindest zum Teil dem Umstand zu verdanken, dass Martin Brite war.

Martin war der Meinung, dass niemand im Silicon Valley mehr von Technik verstünde als er, und da war wahrscheinlich sogar etwas dran. Mit seinen herausragenden Abschlüssen an den Universitäten Berkeley und Cambridge und seiner Erfolgsbilanz als Chefarchitekt bei zwei anderen Technologieunternehmen galt er als der entscheidende Wettbewerbsvorteil von DecisionTech in puncto Humankapital.

Anders als Mikey störte er die Stabskonferenzen nicht. Genau genommen nahm er sogar kaum daran teil. Nicht dass er bei den Konferenzen nicht anwesend gewesen wäre (eine so eklatante Auflehnung hätte selbst Jeff nicht durchgehen lassen), aber er hatte ständig seinen Laptop geöffnet und checkte seine E-Mails oder hatte etwas vergleichbar

Spannendes zu tun. Nur wenn irgendjemand eine faktisch falsche Aussage tätigte, konnte man sich darauf verlassen, dass Martin seinen Kommentar dazu abgab, und der war meist sarkastisch.

Zu Beginn nahmen seine Stabskollegen dieses Verhalten hin oder waren sogar amüsiert darüber, denn sie hatten alle höchste Achtung vor Martins Intellekt. Aber auf Dauer begann es den Stab doch zu belasten. Und angesichts der jüngsten Schwierigkeiten des Unternehmens wurde es immer mehr zu einer lästigen Quelle der Frustration für die anderen.

JR – Verkauf

Um eine Verwechslung mit Jeff Shanley zu vermeiden, nannten den Verkaufschef alle JR. In Wirklichkeit hieß er Jeff Rawlins, aber sein Spitzname schien ihm zu gefallen. JR hatte große Erfahrung im Verkauf und war etwas älter als die anderen – Mitte 40. Er war meist braungebrannt, nie unfreundlich und immer bereit zu tun, was die anderen im Stab von ihm wünschten.

Leider führte JR selten einmal eine Sache zu Ende. Wenn er dann schließlich reinen Tisch machte und einräumte, dass er wieder einmal eine Zusage nicht eingehalten hatte, entschuldigte er sich immer vielmals bei den Leuten, die er hatte hängen lassen.

Trotz seiner Schusseligkeit, wie die anderen im Stab das nannten, genoss JR doch einen gewissen Respekt bei seinen Stabskollegen, und das lag an seiner Erfolgsbilanz. Bevor er zu DecisionTech gekommen war, hatte er in seiner gesamten Verkaufskarriere noch nie eine angepeilte Vierteljahresumsatzzahl verfehlt.

Carlos – Kundenbetreuung

DecisionTech hatte zwar erst wenige Kunden, aber der Vorstand war der Meinung, dass das Unternehmen frühzeitig in den Bereich Kundenbetreuung investieren müsse, um auf Wachstum vorbereitet zu sein. Carlos Amador hatte zuvor schon bei zwei Unternehmen mit

Mikey zusammengearbeitet, und sie hatte ihn der Firma empfohlen. Was nicht einer gewissen Ironie entbehrte, denn die beiden hätten kaum unterschiedlicher sein können.

Carlos sagte immer nur sehr wenig, aber wenn er einmal redete, dann hatte er immer etwas Wichtiges und Konstruktives zu sagen. Er hörte auf den Konferenzen immer aufmerksam zu, machte ohne Murren Überstunden und spielte seine früheren Leistungen stets herunter, wenn ihn jemand darauf ansprach. Wenn es einen pflegeleichten und vertrauenswürdigen Mitarbeiter im Stab gab, dann war das Carlos.

Kathryn war dankbar, dass es bei ihren neuen Untergebenen wenigstens einen gab, um den sie sich keine großen Gedanken machen musste, allerdings fand sie es ein wenig unglücklich, dass seine eigentliche Rolle noch nicht voll zum Tragen gekommen war. Die Tatsache, dass er sich bereitwillig um Produktqualität und andere unbeliebte Themen kümmerte, die sonst durchs Raster gefallen wären, gestattete ihr aber, sich auf drängendere Probleme zu konzentrieren.

Jane – Finanzchefin

Der Finanzchefin war bei DecisionTech immer eine entscheidende Rolle zugekommen, und das würde auch so bleiben, solange das Unternehmen anstrebte, an die Börse zu gehen. Jane Mersino hatte gewusst, worauf sie sich einließ, als sie zu dem Unternehmen ging, und sie hatte Jeff ganz entscheidend unterstützt, als dieser bei Venture-Kapital-Gebern und anderen Investoren äußerst ansehnliche Summen Geldes aufbrachte.

Jane war eine Detail-Fanatikerin, stolz auf ihre Branchenkenntnis und mit dem Geld des Unternehmens so sorgsam, als wäre es ihr eigenes. Als der Vorstand Jeff und dem übrigen Stab in puncto Ausgaben praktisch freie Hand eingeräumt hatte, war dies nur in der sicheren Gewissheit geschehen, dass Jane schon darauf achten würde, dass die Dinge nicht aus dem Ruder liefen.

Nick – Betriebsleiter

Das letzte Mitglied des Managementstabs war auf dem Papier das eindrucksvollste. Nick Farrell war Vice President mit Zuständigkeit für den Außendienst bei einem großen Computerhersteller im mittleren Westen gewesen und war mit seiner Familie nach Kalifornien gezogen, um den Job bei DecisionTech anzunehmen. Zu seinem Pech hatte er die am schlechtesten definierte Rolle im ganzen Team.

Offiziell war Nick Chief Operating Officer (Betriebsleiter oder Leiter des Tagesgeschäfts), aber das lag nur daran, dass er den Titel COO zur Vorbedingung für seinen Jobantritt bei DecisionTech gemacht hatte. Jeff und der Vorstand hatten ihm den Titel gewährt, weil sie der Meinung waren, dass er ihn sich ohnehin binnen Jahresfrist verdienen würde, wenn er mit seinen Leistungen hielt, was die Unterlagen versprachen. Zudem waren sie ohnehin auf die Schiene geraten, dass sie nur noch Topmanager einstellen wollten, und Nicks Absage hätte ihnen diesbezüglich die Erfolgsbilanz verhagelt.

Von allen Mitgliedern des Managementstabs war Nick am direktesten von dem ins Holpern geratenen Start des Unternehmens betroffen. Angesichts von Jeffs eingegrenzten Befugnissen als Manager war Nick eingestellt worden, um bei DecisionTech das Wachstum voranzutreiben, wozu gehörte, eine Operationsinfrastruktur aufzubauen, rund um die Welt neue Büros zu eröffnen und die Übernahme- und Integrationsbemühungen der Firma zu leiten. Die meisten dieser Aufgaben lagen derzeit auf Eis, wodurch Nick recht wenig echte Tagesarbeit übrig blieb.

Obwohl er natürlich frustriert war, beklagte sich Nick nie offen. Im Gegenteil bemühte er sich sehr darum, Beziehungen zu seinen neuen Kollegen aufzubauen, auch wenn diese oft sehr oberflächlich blieben, denn insgeheim betrachtete er sie alle als ihm unterlegen. Und wenn er das auch niemals offen gegenüber seinen Stabskollegen sagte, war Nick doch innerlich überzeugt, dass er in Wirklichkeit der einzige Manager im Unternehmen war, der das Zeug dazu hatte, hier Geschäftsführer zu sein. Aber bald sollte das auch so offensichtlich genug werden.

Teil II
INITIALZÜNDUNG

Erste Bewährungsprobe

Die E-Mail sah genauso aus wie all die anderen zahlreichen Standard-Nachrichten, die Kathryn mittlerweile regelmäßig erhielt, seit sie nun einige Zeit bei DecisionTech war. Der Betreff – »Potenzieller Kunde nächste Woche« – klang völlig harmlos, ja sogar positiv, insbesondere angesichts der Tatsache, dass die Mail von ihrem scharfzüngigen Chefingenieur Martin stammte. Und die Mitteilung selber war auch ganz kurz. Das ist bei schlimmen Nachrichten meistens der Fall.

Dass die Mail nicht an jemand Bestimmtes gerichtet war, sondern an den gesamten Managementstab, täuschte über ihr brisantes Potenzial hinweg:

Habe gerade einen Anruf von ASA Manufacturing erhalten. Sie sind daran interessiert, unser Produkt zu testen, um es gegebenenfalls im nächsten Quartal zu kaufen. JR und ich fahren nächste Woche hin, um uns mit ihnen zu treffen. Könnte eine große Chance für uns sein. Sind Dienstag früh wieder zurück.

Die Tatsache, dass Martin es vermieden hatte, den Terminkonflikt mit dem angesetzten Managementworkshop auch nur zu erwähnen, machte die Situation für Kathryn nicht leichter. Er hatte vorher keine Genehmigung eingeholt, die ersten anderthalb Tage des externen Workshops zu versäumen. Sei es, dass er dafür keine Notwendigkeit sah, sei es, weil er mit der ganzen Angelegenheit ohnehin lieber nichts zu tun haben wollte. Kathryn entschied, es sei gleichgültig, was von beidem zutraf.

Sie widerstand der Versuchung, einer Konfrontation mit Martin durch die sofortige Absendung einer E-Mail-Antwort aus dem Weg zu gehen. Kathryn beschloss, dass dies der erste Moment der Wahrheit für sie als Geschäftsführerin werden würde, und sie wusste, dass dafür immer die persönliche Begegnung am geeignetsten ist.

Kathryn traf Martin in seinem Eckbüro beim Studium von E-Mails an. Er saß mit dem Rücken zur offenen Tür, aber sie klopfte trotzdem nicht an.

»Entschuldigen Sie bitte, Martin!« Kathryn wartete darauf, dass Martin sich zu ihr umdrehte, wofür er sich Zeit nahm. »Ich habe gerade Ihre E-Mail zu ASA gesehen.«

Er nickte, und sie fuhr fort: »Das sind ja gute Neuigkeiten! Aber wir werden den Termin wegen unseres externen Workshops ein paar Tage verschieben müssen.«

Einige unbehagliche Momente lang sagte Martin gar nichts, dann antwortete er ohne sichtbare Gefühlsregung, aber in seinem breitesten Britisch: »Ich glaube, Sie haben das nicht richtig verstanden. Es geht hier um eine große Verkaufs-Chance! So einen Termin kann man doch nicht einfach ...«

Kathryn unterbrach ihn und entgegnete sachlich: »Doch, ich habe das schon verstanden. Aber ich denke, die sind auch nächste Woche noch da.«

Martin war es nicht gewohnt, dass man ihm direkt widersprach, und er geriet ein wenig aus der Fassung: »Wenn Ihre erste Sorge diese externe Geschichte in Napa ist, dann denke ich doch, dass die Prioritäten hier etwas anders liegen. Wir müssen doch raus und verkaufen!«

Kathryn holte tief Luft und lächelte, um ihre Frustration zu verbergen: »Für mich gibt es hier zurzeit nur eine Priorität: Wir müssen erst einmal als Team zueinanderfinden, sonst verkaufen wir bald gar nichts mehr.«

Martin sagte nichts.

Nach fünf unbehaglichen Sekunden beendete Kathryn das Gespräch: »Ich sehe Sie dann also nächste Woche in Napa.« Sie wandte sich zum Gehen, drehte sich aber noch einmal zu Martin um: »Ach so, und wenn Sie Hilfe dabei brauchen, den Termin bei ASA zu verschieben, dann lassen Sie mich das bitte wissen. Ich kenne Bob Tennyson, den Geschäftsführer von ASA. Er sitzt mit mir im Trinity-Aufsichtsrat und ist mir noch einen Gefallen schuldig.«

Damit verließ sie den Raum. Im Moment wollte Martin die Auseinandersetzung erst einmal nicht weiterführen, aber er hatte den Kampf noch nicht aufgegeben.

Kleiner Dienstweg

Am nächsten Morgen schaute Jeff in Kathryns Büro vorbei und fragte sie, ob sie mittags zusammen essen gehen könnten. Eigentlich hatte sie in dieser Zeit zwar etwas besorgen wollen, aber sie war gern bereit, das hintanzustellen, um einem ihrer direkten Untergebenen entgegenzukommen. Das älteste mexikanische Restaurant in Half Moon Bay war für ein schwieriges Gespräch gut geeignet, wie er fand, da dort vor allem Einheimische aßen.

Bevor Jeff dort das Thema anschneiden konnte, das ihn bewegte, wollte Kathryn aber erst einmal etwas loswerden, das ihr selbst am Herzen lag: »Jeff, ich wollte Ihnen ganz herzlich dafür danken, dass Sie in den letzten zwei Wochen die Konferenzen unseres Managementstabs geleitet haben. Das hat mir die Möglichkeit gegeben, in Ruhe zu beobachten, wie die Dinge hier laufen.«

Er nickte höflich, als Zeichen, dass er ihre kleine, aber von Herzen kommende Danksagung würdigte.

Sie fuhr fort: »Nach dem externen Workshop nächste Woche übernehme ich dann. Aber Sie sollen wissen, dass Sie sich auf den Konferenzen meinetwegen nicht zurückhalten sollen. Sie sollen an den Besprechungen teilnehmen wie alle anderen Stabsmitglieder auch.«

Jeff nickte: »Gut, ich denke, das dürfte kein Problem werden.« Er machte eine Pause, in der er seinen Mut zusammennahm, um das Thema anzusprechen, das der Grund für diese Essenseinladung gewesen war. Nervös richtete er sein Besteck gerade aus, während er begann: »Wo Sie gerade diesen externen Workshop ansprechen, da wollte ich Sie gern etwas fragen.«

»Nur zu!« Kathryn war über Jeffs Unbehagen beinahe amüsiert. Und da sie mit einer Frage zu ihrem Zusammenstoß mit Martin gerechnet hatte, blieb sie auch ganz ruhig und gelassen.

»Also, als ich gestern Abend aus dem Büro nach Hause ging, habe ich auf dem Parkplatz noch kurz mit Martin gesprochen.« Er machte eine Pause und hoffte, Kathryn würde hier einhaken, um das Gespräch voranzubringen. Tat sie aber nicht, also musste Jeff fortfahren: »Na ja, er erzählte mir da von dem Treffen mit ASA und dem Terminproblem wegen des externen Workshops.«

Wieder machte Jeff eine Pause, in der Hoffnung, seine neue Chefin würde gnädigerweise übernehmen. Diesmal sagte sie auch etwas, allerdings war es nur die Aufforderung weiterzusprechen: »Ja?«

Jeff schluckte: »Also gut, er war der Meinung, und ich denke offen gesagt auch so und muss ihm da beipflichten, ein Kundentermin sei doch wichtiger als ein interner Termin. Und daher meine ich, wenn er und JR den ersten Tag unseres externen Workshops verpassten oder so, dann wäre das doch völlig okay.«

Kathryn wählte ihre Worte sorgfältig: »Jeff, ich verstehe Ihre Ansicht und finde es auch in Ordnung, wenn Sie mit mir nicht einer Meinung sind, ganz besonders, wenn Sie mir das von Angesicht zu Angesicht sagen.«

Jeff war erst einmal spürbar erleichtert.

»Ich bin hier aber eingestellt worden, um diesen Betrieb ans Laufen zu bringen, und das tut er im Moment ganz und gar nicht.«

Jeff sah so aus, als überlege er jetzt, ob er beschämt oder verärgert sein sollte, daher stellte Kathryn klar: »Ich versuche hier nicht, Ihre bisherige Arbeit zu kritisieren, denn mir scheint, niemandem liegt dieses Unternehmen so sehr am Herzen wie Ihnen.«

Nachdem sein Ego besänftigt war, machte Kathryn jetzt ihren Standpunkt klar: »Aber als Team betrachtet, sind wir absolut nicht gut. Und ein einzelnes Verkaufsgespräch wird für unsere Zukunft nicht entscheidend sein, zumindest nicht, bis wir die Führungsprobleme hier gelöst haben!«

Da Jeff Kathryn noch nicht so gut kannte, dachte er sich an diesem Punkt, weiteres Debattieren sei wahrscheinlich fruchtlos und potenziell karriereschädlich. Daher nickte er nur, als wolle er sagen: *O.K., ich schätze, das ist Ihre Entscheidung.* Dann wechselten die beiden zu Smalltalk über und nahmen eines der wahrscheinlich kürzesten Mittagessen in der Geschichte von Half Moon Bay ein, bevor sie wieder ins Büro zurückkehrten.

Grenzen ziehen

Das Gespräch mit Jeff hatte Kathryn nicht aus der Bahn geworfen. Mit einer Reaktion ihres übernommenen Stabes auf den Zwischenfall mit Martin hatte sie gerechnet. Mit einer Reaktion des Vorstandsvorsitzenden allerdings nicht.

Als er sie an diesem Abend telefonisch zu Hause erreichte, dachte sie eigentlich, er wolle sie anrufen, um ihr Mut zu machen.

»Ich hatte gerade Jeff an der Strippe«, verkündete er in freundlichem Ton.

»Aha, dann nehme ich also an, Sie haben erfahren, wie Martin und ich uns in die Haare geraten sind?«

Kathryns humorvolle und selbstsichere Reaktion ließ den Vorstandsvorsitzenden einen etwas ernsteren Ton anschlagen: »Ja, und ich bin ein wenig besorgt!«

Das traf Kathryn unerwartet: »Ach so?«

»Schauen Sie, Kathryn, Sie wissen, ich will Ihnen nicht vorschreiben, wie Sie die Sache hier anzugehen haben, aber vielleicht sollten Sie doch erst einmal versuchen, ein paar Brücken zu bauen, bevor Sie welche einreißen.«

Kathryn ließ erst ein paar Momente verstreichen, bevor sie darauf etwas sagte. Sie war von den Sorgen des Vorstandsvorsitzenden zwar überrascht, blieb aber ganz ruhig und schaltete sofort in den Geschäftsführer-Modus um: »O. K., was ich dazu jetzt gern sagen würde, soll keine Verteidigung sein und ist auch nicht unhöflich gemeint.«

»Das weiß ich doch, Kathryn!«

»Gut, dann will ich Ihnen gegenüber auch kein Blatt vor den Mund nehmen.«

»Das weiß ich zu schätzen!«

»Ich bin nicht sicher, ob Sie das auch noch sagen werden, nachdem Sie gehört haben, was ich Ihnen jetzt erzählen möchte.«

Er lachte gezwungen: »O. K., dann setze ich mich also lieber erst mal hin.«

»Zunächst einmal: Denken Sie bitte nicht, ich würde hier nach dem Zufallsprinzip und aus Spaß an der Freude zündeln. Ich habe diese Leute in den vergangenen zwei Wochen ganz genau beobachtet, und alles, was ich tue und plane, hat seinen Zweck und sein Ziel. Ich habe Martin nicht in die Schranken verwiesen, nur weil mir gerade danach war.«

»Das ist schon richtig, nur ...«

Kathryn unterbrach ihn höflich: »Hören Sie mich bitte erst zu Ende an, das ist jetzt ganz wichtig!«

»O. K., erzählen Sie also weiter!«

»Also: Wenn Sie das, was ich hier vorhabe, selber könnten, dann würden Sie mich gar nicht brauchen, stimmt's?«

»Das ist richtig.«

»Gut. Also, ich weiß Ihre Sorge um das Wohl des Unternehmens und um mein Wohl durchaus zu schätzen und bin auch überzeugt, dass Sie in beider Hinsicht das Beste wollen. Aber nach diesem Anruf muss ich Ihnen leider sagen, dass Sie mit Ihren guten Absichten der Sache des Unternehmens eher schaden als nützen!«

»Das verstehe ich jetzt nicht.«

»Also, in den vergangenen 18 Monaten haben Sie doch mit Jeff und den anderen Teammitgliedern ziemlich viel zusammengearbeitet, mehr als ein Vorstandsvorsitzender normalerweise tut, und mussten dabei erleben, wie das Team in einer Abwärtsspirale immer tiefer in Dysfunktion und Chaos versank. Und nun haben Sie mich gebeten, Ihnen zu helfen, das Team da wieder rauszuholen. Das ist doch das, was Sie wollen, oder?«

»Absolut, ganz genau das möchte ich.«

»Dann habe ich nur eine Frage: Sind Sie auch bereit, die Konsequenzen mitzutragen, wenn ich das hier rigoros durchziehe? Warten Sie erst mal mit Ihrer Antwort!« Er hatte gerade schon etwas sagen wollen. »Überlegen Sie lieber erst einen Moment!«

Sie ließ die Frage in der Schwebe und fuhr fort: »Das wird hier nicht einfach. Oder angenehm. Weder für das Unternehmen. Noch für das Managementteam. Noch für mich. Oder für Sie.«

Der Vorstandsvorsitzende schwieg und widerstand der Versuchung, Kathryn zu versichern, dass er alles tun werde, was sie für nötig hielt.

Kathryn interpretierte sein Schweigen als Erlaubnis, mit ihrer nachdrücklichen Lektion fortzufahren: »Sie haben wahrscheinlich schon mal gehört, wie mein Mann gesagt hat, mit einem auseinandergebrochenen Team sei es wie mit einem Arm- oder Beinbruch; die Heilung ist immer schmerzhaft, und manchmal muss man es sogar noch ein zweites Mal brechen, damit alles wieder richtig zusammenwächst. Und dieser zweite Bruch tut weit mehr weh als der erste, weil man es mit Absicht tun muss.«

Nach einer weiteren langen Pause antwortete der Vorstandsvorsitzende: »O. K., Kathryn, ich habe verstanden. Tun Sie, was Sie tun müssen. Ich werde Ihnen dabei nicht in die Quere kommen.«

Kathryn wusste, dass er es ernst meinte.

Dann fragte er: »Aber eine Frage hätte ich doch noch: Mit wie vielen werden Sie denn in diesem Team ein zweites Mal brechen müssen?«

»Das dürfte ich bis zum Monatsende wissen.«

Napa

Kathryn hatte sich als Ort des externen Workshops für das Napa Valley entschieden, weil das einerseits nah genug war, um eine zeit- und kostenaufwendige Anreise zu vermeiden, andererseits aber auch gerade weit genug weg, dass man sich außerhalb fühlte. Und ganz gleich wie oft man hier schon gewesen war, es ließ einen immer ein, zwei Gänge herunterschalten.

Das Hotel, in dem das Treffen stattfinden sollte, war eine kleine Herberge in Yountville. Kathryn hatte es da gefallen, weil die Preise außerhalb der Saison moderat waren und das Hotel nur über einen einzigen, aber komfortablen Konferenzsaal verfügte. Dieser lag im zweiten Stock und hatte einen Balkon, von dem man kilometerweit über Weinbauflächen blickte.

Das Treffen sollte um 9 Uhr starten, sodass die meisten Teilnehmer einigermaßen früh von zu Hause aufbrechen mussten, um pünktlich da zu sein. Schon um 8.45 Uhr waren alle eingetroffen, hatten eingecheckt und saßen am Konferenztisch. Bis auf Martin.

Zwar sagte niemand etwas dazu, aber die Art, wie alle immer wieder auf die Uhr blickten, zeigte doch, dass sich alle fragten, ob Martin wohl pünktlich da sein würde. Selbst Kathryn wirkte ein wenig nervös.

Sie wollte nicht, dass gleich die erste Aktion des Treffens darin bestehen müsste, einen Tadel wegen Zuspätkommens auszusprechen. Für den Bruchteil einer Sekunde verspürte sie sogar einen Anflug von Panik, als sie sich fragte, was sie wohl tun würde, wenn er nun überhaupt nicht aufkreuzte. Sie konnte ihn ja wohl schlecht entlassen, weil er zu einem Treffen nicht erschienen war, oder? Hätte sie dafür genug Rückhalt beim Vorstand? *Wie wertvoll ist dieser Kerl letztlich?*

Als Martin schließlich um 8.59 Uhr durch die Tür kam, stieß Kathryn einen unhörbaren Seufzer der Erleichterung aus und ärgerte sich über sich selbst, dass sie sich so viele Sorgen gemacht hatte. Sie tröstete sich mit dem Gedanken, dass sie jetzt endlich mit dem anfangen konnte, worauf sie nun schon fast einen Monat gewartet hatte. Und obwohl sie sich durchaus Gedanken um die Einstellung der hier um den Tisch Versammelten machte, musste Kathryn doch zugeben, das es nicht zuletzt Momente wie dieser waren, weswegen sie so gern Führungskraft war.

Die Ansprache

Martin nahm den letzten verbliebenen Platz ein, am Ende des Konferenztischs, Kathryn direkt gegenüber. Kaum hatte er Platz genommen, holte er auch schon seinen Laptop hervor und platzierte ihn vor sich auf dem Tisch, ließ ihn aber erst einmal geschlossen.

Entschlossen, sich nicht ablenken zu lassen, lächelte Kathryn ihren Stabsmitgliedern zu und sprach sie ruhig und freundlich an.

»Guten Morgen zusammen. Ich möchte zum Auftakt ein paar Worte sagen, und es wird nicht das letzte Mal sein, dass ich sie sage.« Niemandem war in diesem Moment klar, wie ernst es Kathryn mit dieser Bemerkung war.

»Wir haben ein erfahreneres und begabteres Managementteam als alle unsere Mitbewerber. Uns stehen mehr Finanzmittel zur Verfügung. Dank Martin und seinem Team haben wir die besten technischen Voraussetzungen. Und wir haben den schlagkräftigsten Vorstand. Und trotz all dem liegen wir im Moment in puncto Umsatz und Kundenwachstum hinter zwei unserer Wettbewerber zurück. Kann mir einer von Ihnen sagen, woran das liegt?«

Schweigen.

Kathryn fuhr fort, immer noch so freundlich wie zu Beginn: »Nachdem ich Gespräche mit allen Vorstandsmitgliedern geführt, Zeit mit jedem von Ihnen verbracht und auch mit den meisten Mitarbeitern unseres Hauses gesprochen habe, ist mir voll und ganz klar, wo unser Problem liegt.« Sie machte eine Pause, bevor sie ihren Gedanken zu Ende führte: »Wir funktionieren nicht als Team. Genauer gesagt sind wir sogar ziemlich dysfunktional.«

Einige Stabsmitglieder blickten in Richtung Jeff, um zu sehen, wie der reagierte. Er schien sich aber okay zu fühlen, trotzdem reagierte Kathryn auf die Spannung.

»Ich sage das nicht in Richtung Jeff oder von sonst jemand Bestimmtem. Es ist einfach eine Tatsache. Eine Tatsache, um die wir uns in den kommenden zwei Tagen zu kümmern beginnen werden. Ja, und ich weiß auch, wie lächerlich und unglaublich Sie es finden, diesen Monat so viele Tage nicht im Büro zu sein. Aber wenn wir mit all dem hier durch sind, wird jeder, der dann noch da ist, verstanden haben, warum das so wichtig war.«

Bei der letzten Bemerkung horchten alle auf. »Ja, so ist das. Ich möchte gleich zu Beginn ganz deutlich sagen, dass es bei DecisionTech in den nächsten Monaten einige Veränderungen geben wird, und es kann sehr gut sein, dass danach nicht jeder von uns noch das Gefühl haben wird, dass dieses neue Unternehmen der Ort ist, an dem er gern sein möchte. Das ist jetzt keine Drohung und auch kein dramatischer

Effekt, und ich habe auch niemand Besonderes im Sinn. Es ist nur eine realistische Wahrscheinlichkeit und nichts, was man abstreiten sollte. Wir haben alle exzellente Einstellungschancen, und es würde für keinen von uns das Ende der Welt bedeuten zu gehen, wenn es für das Unternehmen das Richtige ist – oder für das Team.«

Kathryn stand auf und ging zu der weißen Kunststofftafel, wobei sie darauf achtete, dass sie nicht arrogant oder herablassend wirkte: »Wenn sich einige von Ihnen fragen sollten, was das hier eigentlich alles soll, dann möchte ich Ihnen versichern, dass es bei allem, was wir hier tun, nur um ein einziges Thema gehen wird: das Unternehmen zum Erfolg zu führen! Sonst nichts. Wir werden uns hier nicht etwa von Bäumen fallen lassen und gegenseitig auffangen.«

Einige ihrer Stabsmitglieder grinsten.

»Und wir werden hier auch ganz bestimmt nicht Händchen halten, Lieder singen oder uns nackt ausziehen.«

Selbst Martin musste jetzt grinsen, während die anderen laut lachten.

»Ich versichere Ihnen, dass wir nur aus einem einzigen Grund auf diesem externen Workshop und bei diesem Unternehmen sind: um Ergebnisse zu erzielen. Das ist nach meiner Überzeugung der einzige Maßstab für ein Team, und das wird bei allem im Fokus stehen, was wir heute tun und so lange ich da bin. Ich gehe davon aus, dass wir im nächsten und übernächsten Jahr auf Umsatzwachstum, Profitabilität sowie treue und zufriedene Kunden zurückblicken können und vielleicht sogar, sofern es der Markt hergibt, auf eine erste Aktienemission. Aber ich verspreche Ihnen, dass wir von all dem nichts erreichen werden, wenn wir nicht zuvor die Probleme lösen, die uns daran hindern, als Team aufzutreten.«

Kathryn machte eine Pause, um allen Zeit zu geben, diese einfache Botschaft zu verdauen, und fuhr dann fort: »Wie werden wir dabei vorgehen? Ich bin im Laufe der Jahre zu dem Schluss gekommen, dass es fünf Gründe gibt, warum Teams dysfunktional sind.«

Dann zeichnete sie ein Dreieck an die Tafel, das sie mit vier horizontalen Linien unterteilte, sodass fünf einzelne Sektoren entstanden.

Dann wandte sich Kathryn wieder an die Gruppe: »Im Lauf der kommenden zwei Tage werden wir dieses Schema ausfüllen und uns nacheinander mit jedem der fünf Themen befassen. Und Sie werden schnell feststellen, dass es dabei nicht um höhere Mathematik geht. Auf dem Papier wird es sogar bemerkenswert einfach aussehen. Der Trick besteht darin, es in die Praxis umzusetzen.

Jetzt würde ich gern mit der ersten Dysfunktion beginnen: *Fehlendes Vertrauen.*« Sie drehte sich um und schrieb »Fehlendes Vertrauen« in das untere Feld des Dreiecks.

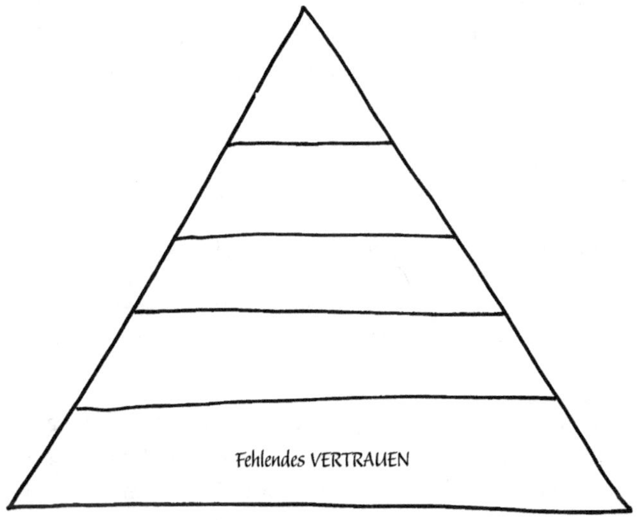

Die Stabsmitglieder lasen die Worte leise mit und die meisten runzelten dabei die Stirn, so als wollten sie sagen: *Mehr haben Sie nicht zu bieten?*

Daran war Kathryn gewöhnt, und sie fuhr fort: »Vertrauen ist die Grundlage echter Teamarbeit. Bei der ersten Dysfunktion handelt es sich also um einen Mangel darin, die anderen Teammitglieder zu verstehen und sich füreinander zu öffnen. Sollte sich das etwa gefühlsduselig anhören, dann lassen Sie mich das bitte erklären, denn da ist nichts Gefühliges dabei. Es ist ein absolut entscheidendes Element für die Bildung eines Teams. Genauer gesagt ist es wahrscheinlich das entscheidendste.«

Einige der im Raum Versammelten brauchten hier ganz eindeutig eine Erklärung.

»Richtig gute Teams halten nichts voreinander zurück«, sagte sie. »Sie haben keine Angst, sich zu entblößen. Sie geben ihre Fehler, ihre Schwächen, ihre Sorgen zu, ohne dabei Angst vor Vergeltungsmaßnahmen zu haben.«

Die meisten Stabsmitglieder schienen diesen Punkt zu akzeptieren, allerdings ohne großen Enthusiasmus.

Kathryn führte weiter aus: »Tatsache ist: Wenn wir uns gegenseitig nicht vertrauen – und so sieht es hier für mich aus –, dann können wir nicht die Art Team werden, das letztlich Ergebnisse erzielt. Und deshalb werden wir uns auf diesen Punkt als Erstes konzentrieren.«

Rückschlag

Im Raum blieb es still, bis Jane die Hand hob.

Kathryn lächelte: »Ich war zwar mal Lehrerin, aber Sie müssen hier trotzdem nicht die Hand heben, wenn Sie etwas sagen wollen. Gehen Sie ruhig jederzeit dazwischen!«

Jane nickte und stellte ihre Frage: »Ich will ja hier nicht negativ sein oder Ihnen widersprechen, aber wieso meinen Sie denn, dass wir uns nicht vertrauen? Könnte es nicht sein, dass Sie uns einfach noch nicht so gut kennen?«

Kathryn dachte erst eine Weile über die Frage nach, weil sie eine wohlüberlegte Antwort geben wollte: »Tja, meine Einschätzung beruht auf einer ganzen Reihe von Daten, Jane. Entsprechende Bemerkungen des Vorstands, von Mitarbeitern, auch von etlichen von Ihnen selbst ...«

Jane schien mit dieser Antwort zwar schon zufrieden, aber Kathryn beschloss trotzdem noch fortzufahren: »Aber ich muss sagen, noch mehr als durch die Hinweise anderer sehe ich ein Vertrauensproblem hier in dem Mangel an Diskussionen, sei es bei Stabskonferenzen, sei es bei sonstigen Interaktionen des Teams. Aber ich möchte hier nicht vorgreifen, das ist noch mal ein ganz eigener Teil des Modells.«

Nick wollte das so nicht stehen lassen: »Aber das muss ja wohl nicht unbedingt heißen, dass es hier an Vertrauen fehlt, oder?« Es war eher eine Feststellung als eine Frage. Alle im Raum, einschließlich Martin und Mikey, warteten gespannt auf Kathryns Reaktion.

»Nein, nicht notwendigerweise, würde ich sagen.«

Nick war fürs Erste zufrieden, weil seine Anmerkung als richtig eingestuft worden war.

Bis Kathryn klarstellte: »Theoretisch, wenn alle auf genau demselben Stand wären und ohne alle Missverständnisse im Gleichschritt auf dasselbe Ziel zumarschierten, dann könnte es wohl sein, dass fehlende Diskussionen kein schlechtes Zeichen wären.«

Mehr als ein Teilnehmer begann angesichts dieser Beschreibung, die so gar nicht auf sie zutraf, verlegen zu lächeln. Nicks Zufriedenheit war wieder dahin.

Kathryn richtete ihre Erläuterungen auch weiter an ihn: »Aber ich muss sagen, dass es in jedem effektiven Team, das ich kennengelernt habe, immer ein beträchtliches Maß an Diskussionen gab. Selbst in den vertrauensvollsten Teams lief immer mal etwas durcheinander.« Nun richtete sie eine Frage an die übrigen Anwesenden: »Wie kommt es denn Ihrer Meinung nach, dass es in dieser Gruppe so wenig engagierte Debatten oder Diskussionen gibt?«

Erst sagte keiner etwas, und Kathryn ließ sie in dieser unbehaglichen Stille schmoren. Dann murmelte Mikey etwas vor sich hin.

»Sorry Mikey, ich habe Sie nicht verstanden.« Kathryn tat ihr Möglichstes, sich ihre Abneigung gegen sarkastische Bemerkungen, die sie im Lauf ihrer Arbeit mit Siebtklässlern entwickelt hatte, nicht anmerken zu lassen.

Mikey erklärte jetzt lauter: »Dafür haben wir doch gar nicht die Zeit. Wir haben doch alle viel zu viel zu tun, um langatmige Diskussionen über Kleinigkeiten zu führen. Wir ersticken doch auch so schon in Arbeit!«

Kathryn hatte das Gefühl, dass vielleicht nicht alle mit Mikey einer Meinung wären, aber sie fragte sich, ob es wohl einer fertigbringen würde, sie herauszufordern und ihr zu widersprechen. Sie wollte das gerade schon selber tun, als Jeff vorsichtig einwandte: »Ich weiß nicht, ob ich Ihnen da ganz folgen kann, Mikey. Ich glaube nicht, dass uns die Zeit fehlt, uns auseinanderzusetzen. Ich denke eher, wir fühlen uns nicht wohl dabei, einander zu widersprechen. Und ich weiß nicht, woran das liegt.«

Mikey antwortete sofort und schnippisch: »Vielleicht weil unsere Konferenzen immer viel zu durchstrukturiert und langweilig sind!«

Die Mutter in ihr drängte Kathryn einzuschreiten und Jeff in Schutz zu nehmen, zum Teil auch aus Dank, weil er den Mut aufgebracht hatte, etwas gegen Mikey zu sagen. Aber sie beschloss, den Dingen ihren Lauf zu lassen.

Nach einer Weile meldete sich Carlos ruhig zu Wort, jedoch ohne sich direkt an Mikey zu wenden, sondern als hätte die ganze Gruppe die Bemerkung gemacht: »Jetzt mal halt! Ich finde zwar auch, dass die Konferenzen immer etwas langweilig sind und die Tagesordnung meist ein bisschen zu vollgepackt ist. Aber ich finde, wir hätten uns schon alle ein bisschen mehr widersprechen und uns gegenseitig herausfordern können. Wir sind ja wohl wirklich nicht immer alle einer Meinung!«

Nick schaltete sich ein: »Ich würde eher sagen, wir sind nie einer Meinung!«

Alle lachten – bis auf Martin, der seinen Laptop aufgeklappt und eingeschaltet hatte.

Kathryn mischte sich in die auflebende Diskussion ein: »Sie sind sich also in den meisten Punkten uneins, und trotzdem scheinen Sie es nicht zugeben zu wollen, wenn Sie Bedenken haben. Also ich bin zwar kein Doktor der Psychologie, aber wenn das keine Frage von Vertrauen ist, dann weiß ich auch nicht.« Einige Köpfe im Raum nickten nun tatsächlich zustimmend in Kathryns Richtung, und das war etwas, wonach sie lechzte wie ein Verhungernder nach einem Stück Brot.

Und dann begannen die Tipp-Geräusche. Martin, der sich nun völlig aus der Diskussion ausgeklinkt hatte, hackte auf seine Tastatur ein wie ein, nun ja, wie ein Computerprogrammierer halt. Von dem Geräusch abgelenkt, schauten alle eine Nanosekunde lang zu Martin hinüber. Und das reichte, um der Diskussion ihren gerade gewonnenen Schwung wieder zu nehmen.

Kathryn hatte diesen Moment ebenso herbeigesehnt wie gefürchtet, seit sie ihre erste Stabskonferenz beobachtet hatte. Und so gern sie auch einen weiteren Zusammenstoß mit Martin vermieden hätte, noch dazu so früh am ersten Tage, so sehr war sie doch auch entschlossen, die Gelegenheit nicht ungenutzt verstreichen zu lassen.

Eintritt in die Gefahrenzone

Die Spannung im Raum wuchs, als Kathryn Martin beobachtete, der auf der anderen Seite des Tisches vor sich hintippte. Niemand rechnete damit, dass Kathryn wirklich etwas sagen würde. Aber da kannten sie Kathryn schlecht.

»Entschuldigen Sie bitte, Martin!«

Martin tippte zu Ende und sah auf, um seine Chefin zur Kenntnis zu nehmen.

»Arbeiten Sie da an irgendetwas?«, fragte Kathryn ernsthaft und ohne eine Spur von Sarkasmus.

Im Raum erstarb jede Bewegung, während alle gespannt die Antwort auf eine Frage erwarteten, die sie selbst schon seit zwei Jahren hatten stellen wollen.

Martin sah zunächst so aus, als wolle er überhaupt nicht antworten, dann sagte er »ich mache mir einfach Notizen« und tippte weiter.

Kathryn blieb ruhig und fuhr in bedächtigem Ton fort: »Ich glaube, das ist ein guter Moment, um über ein paar Grundregeln für diesen externen Workshop und unsere künftigen Konferenzen zu sprechen.«

Martin sah von seinem Computer auf, und Kathryn fuhr, an die gesamte Gruppe gewandt, fort: »Ich habe nicht viele Regeln, was Besprechungen angeht. Aber es gibt ein paar, bei denen ich absolut pingelig bin.«

Alle warteten, dass sie fortfuhr.

»Im Wesentlichen erwarte ich von Ihnen zwei Dinge: anwesend zu sein und teilzunehmen. Das heißt, jeder soll sich hundertprozentig mit dem befassen, worüber wir gerade reden.«

Selbst Martin verstand, wann er ein Stück zurückrudern musste. Er stellte eine Frage, aber in einem leicht versöhnlichen Ton, den die Gruppe von ihrem Cheftechniker gar nicht kannte: »Was ist, wenn das Gespräch nicht für alle relevant ist? Manchmal macht es den Eindruck, wir sprechen über Themen, die besser offline zu besprechen wären. Im Gespräch eins zu eins.«

»Das ist ein guter Hinweis.« Kathryn hatte Martin nun am Haken. »Sollte je der Fall eintreten, dass wir Themen besprechen, mit denen wir die Zeit der Gruppe nur verschwenden, Themen, die besser außerhalb der Konferenz besprochen werden sollten, dann würde ich jeden bitten, sich zu Wort zu melden.«

Martin wirkte zufrieden, dass sie ihm zugestimmt hatte.

Kathryn fuhr fort: »Aber in allen anderen Fällen möchte ich bitte, dass sich jeder voll und ganz einbringt. Und ich kann zwar verstehen, dass mancher lieber einen Computer als einen Notizblock benutzt, wie Sie, Martin, aber ich finde, das lenkt einfach zu sehr ab. Man kann sich leicht vorstellen, dass der Betreffende da E-Mails checkt oder an etwas anderem arbeitet.«

Mikey beschloss, Martin beizuspringen, was er weder wollte noch brauchte: »Kathryn, mit allem Respekt, aber Sie haben bisher nicht in der Hightech-Kultur gearbeitet, und das ist in Softwareunternehmen gang und gäbe. Ich meine, in der Automobilwelt vielleicht nicht, aber ...«

Kathryn unterbrach höflich: »Doch, das ist in der Automobilwelt sogar sehr verbreitet. Ich hatte den gleichen Fall auch da. Das ist mehr eine Frage des Verhaltens als der Technik.«

Jeff nickte und grinste, als wollte er sagen: *Gute Antwort.* Und darauf klappte Martin seinen Laptop zu und schob ihn ins Etui zurück. Mehr als eines der Stabsmitglieder schaute Kathryn an, als hätte sie gerade einen Bankräuber überredet, seine Waffe abzugeben.

Wäre der Rest des Tages nur auch so leicht!

Sich nackig machen

Kathryn war sich darüber im Klaren, dass jetzt ein eindeutig kritischer Teil der Sitzung bevorstand, der ihr einige Hinweise darüber liefern würde, wie sich die Dinge in den kommenden Monaten entwickeln könnten. Es war kein Zufall, dass dies die erste echte Übung auf dem Plan war.

»Bevor wir uns mit dem anstrengenden Teil befassen, würde ich jetzt gern erst einmal zu einem Punkt kommen, den ich ›persönliche Geschichten‹ nenne.«

Kathryn erklärte, dass jeder fünf unaufdringliche persönliche Fragen beantworten solle, die mit ihrem jeweiligen Hintergrund zu tun hätten, und schloss ihre Erläuterungen mit einer humorvollen Warnung, bei der sogar Martin schmunzeln musste: »Denken Sie daran, ich möchte hier zwar gern etwas von Ihrem Leben als Kind erfahren, aber nichts von dem Kind in Ihnen.«

Einer nach dem anderen beantworteten die DecisionTech-Manager ihre Fragen. Heimatstadt? Zahl der Kinder in der Familie? Interessante Hobbys als Kind? Größte Herausforderung in der Jugendzeit? Erster Job?

Praktisch bei jedem enthielt die Liste der Antworten ein, zwei Juwelen, von denen die meisten anderen nichts gewusst hatten.

Carlos war das älteste von neun Kindern. Mikey hatte an der Juilliard School in New York Ballett studiert. Jeff war Batboy (eine Art jugendlicher Helfer) bei der Baseball-Mannschaft Boston Red Sox gewesen. Martin hatte einen großen Teil seiner Kindheit in Indien verbracht. JR hatte einen eineiigen Zwilling. Jane war Soldatenkind. Und Nick entdeckte im Zuge des Gesprächs sogar, dass er mit seiner Highschool-Basketball-Mannschaft einmal gegen das von Kathryns Mann trainierte Team gespielt hatte.

Bei Kathryn waren alle nicht etwa in erster Linie von ihrer Militärausbildung oder ihren Erfahrungen in der Automobilindustrie überrascht und beeindruckt, sondern davon, dass sie in ihrer College-Zeit für die US-Auswahl Volleyball gespielt hatte.

Es war wirklich erstaunlich. Nach gerade einmal 45 Minuten äußerst zurückhaltender persönlicher Offenbarungen wirkte das Team schon geschlossener und unbefangener als das ganze letzte Jahr über. Aber Kathryn hatte so etwas schon oft erlebt und wusste, dass die Euphorie bald nachlassen würde, sobald sich das Gespräch dem Thema Arbeit zuwandte.

Mehr in die Tiefe

Als das Team nach einer kurzen Pause wieder in den Konferenzraum zurückkehrte, ließ sich feststellen, dass es schon wieder viel von dem guten Gefühl der morgendlichen Sitzung verloren hatte. Die nächsten Stunden, in denen sie sogar die Mittagspause durcharbeiteten, verbrachten sie mit einer Besprechung ihrer jeweiligen Verhaltenstendenzen anhand diverser Diagnose-Tools, die sie alle schon vor dem Workshop in Napa ausgefüllt hatten. Eines davon war der Myers-Briggs-Typindikator.

Kathryn war angenehm überrascht, dass sich sogar Martin jetzt angeregt an der Diskussion beteiligte. Andererseits, dachte sie, lernt – und spricht – natürlich jeder gern über sich. Bis es schließlich mit der Kritik losgeht. Und dieser Teil stand nun bald bevor.

Aber Kathryn beschloss, dass der späte Nachmittag angesichts des allgemeinen Energielevels eine schlechte Zeit wäre, um mit der nächsten Phase zu beginnen. Daher gab sie allen am Nachmittag ein paar Stunden frei, in denen sie ihre E-Mails-checken, sich etwas Bewegung verschaffen oder sonst etwas tun konnten. Kathryn wusste schon, dass sie heute bis spät in den Abend arbeiten würden, und sie wollte nicht, dass alle schon zu früh ausgepowert wären.

Martin verbrachte die freie Zeit am Nachmittag zum größten Teil damit, in seinem Zimmer E-Mails zu lesen. Nick, Jeff, Carlos und JR spielten auf dem Hof vor dem Hotel Boccia, und Kathryn und Jane trafen sich in der Lobby, um sich über Finanzpläne zu unterhalten. Mikey saß am Pool und las in einem Roman.

Als sie sich zur Abendessenszeit alle wieder trafen, stellte Kathryn zu ihrer großen Freude fest, dass man da wieder anknüpfte, wo das Gespräch unterbrochen worden war. Inzwischen hatten alle ihren jeweils unterschiedlichen interpersonellen Stil bei der Arbeit erkannt und diskutierten darüber, was es mit sich brachte, wenn man introvertiert oder extrovertiert war und Ähnliches. Sie wurden entschieden lockerer.

Es gab Pizza und Bier, und das ließ alles weit weniger bedrohlich erscheinen. Carlos zog Jane auf einmal damit auf, dass sie zu pingelig sei, und Jeff ärgerte JR, er sei zu wenig konzentriert. Selbst Martin nahm es gut auf, als Nick ihn den »totalen Introvertierten« nannte. Keiner am Tisch wirkte durch die gutmütigen, aber durchaus gehaltvollen Neckereien genervt, mit Ausnahme von Mikey. Nicht, dass sie es schlecht aufnahm, wenn sie aufgezogen wurde. Viel schlimmer war, dass überhaupt niemand eine Bemerkung über sie machte, und sie machte umgekehrt erwartungsgemäß auch kaum eine Bemerkung über die anderen.

Kathryn wollte sie gern in den Prozess mit einbeziehen, beschloss aber, dass sie so früh noch nicht zu aggressiv vorgehen wollte. Das Ganze lief schließlich ganz gut – viel besser, als sie erwartet hatte – und das Team schien durchaus bereit, über einige der dysfunktionalen Verhaltensweisen zu reden, die Kathryn auf den Stabskonferenzen beobachtet hatte. Es gab keinen Grund, gleich am ersten Abend eine Kontroverse vom Zaun zu brechen, besonders da sie sich ja schon mit Martin ihr kleines Scharmützel geliefert hatte.

Aber nicht alles lässt sich immer steuern, und so war es schließlich Mikey selbst, die ihre Probleme in den Fokus rückte. Als Nick der Gruppe gegenüber die Bemerkung machte, dass er die Persönlichkeitsbeschreibungen erstaunlich präzise und hilfreich fand, tat Mikey, was sie so oft auf den Stabskonferenzen tat: Sie verdrehte die Augen.

Kathryn stand kurz davor, sie auf ihr Verhalten anzusprechen, als Nick ihr zuvorkam: »Was sollte denn das jetzt schon wieder heißen?«

Mikey reagierte, als hätte sie keine Ahnung, worauf er anspielte: »Was denn?«

In erster Linie nahm Nick sie zwar nur hoch, aber er war doch offensichtlich auch ein bisschen angefressen: »Na, tun Sie hier doch nicht so! Sie haben gerade Ihre Augen verdreht. Habe ich irgendwas Dummes gesagt?«

Sie spielte weiter die Ahnungslose: »Nein, ich hab doch gar nichts gesagt!«

Jetzt schaltete sich Jane ein, allerdings in freundlichem Ton: »Sie mussten auch gar nichts sagen, Mikey. Es war mehr das Gesicht, das Sie gemacht haben!« Jane wollte die Situation entschärfen, indem sie Mikey die Chance gab, etwas zuzugeben, ohne ihr Gesicht zu verlieren: »Ich glaube manchmal, Sie machen das sogar, ohne sich dessen bewusst zu sein.«

Aber Mikey biss nicht an und wurde jetzt ein kleines bisschen defensiv: »Ich weiß gar nicht, worüber Sie überhaupt reden!«

Nick konnte sich jetzt nicht mehr zurückhalten: »Jetzt hören Sie aber mal! Sie machen das doch ständig! Es ist, als ob Sie uns hier alle für Idioten hielten!«

Kathryn machte sich eine mentale Notiz, dass es beim nächsten Abendessen kein Bier mehr geben sollte. Allerdings konnte sie auch nicht bestreiten, froh zu sein, dass die Dinge jetzt zur Sprache kamen. Sie nahm einen Bissen von ihrer Pizza, schaute wie die anderen zu und widerstand der Versuchung, künstlichen Frieden stiften zu wollen.

Völlig unerwartet kam von Mikey jetzt: »Hört mal, Leute, ich kann mit diesem ganzen Psychogelaber einfach nichts anfangen! Ich kann mir nicht vorstellen, dass irgendwelche unserer Konkurrenten, die uns zufällig gerade mit Freuden einen Arschtritt verpassen würden, jetzt irgendwo in einem Hotel in Napa sitzen und darüber reden, wo sie wohl ihre Energie herkriegen sollen oder wie sie die Welt sehen!«

Von dieser Verurteilung des ganzen Prozesses, an dem alle doch ihren Spaß zu haben schienen, wurde die Gruppe völlig unvorbereitet getroffen, und alle schauten zu Kathryn, wie sie wohl reagieren würde. Aber Martin kam ihr zuvor.

»Genau!« Die Leute wirkten geschockt, dass Martin, der doch eifrig an dem Prozess teilgenommen hatte, jetzt Mikeys Partei ergriff. Bis er seinen trockenen Spruch zu Ende brachte: »Die sitzen wahrscheinlich gerade in Carmel.«

Hätte das jemand anders gesagt, hätte der Raum wahrscheinlich nur gegrinst. Aber da diese Bemerkung zu Mikey von Martin kam und in seinem trockenen, sarkastischen Akzent vorgebracht wurde, brach der ganze Saal in brüllendes Gelächter aus. Alle bis auf Mikey natürlich, die nur dasaß und gequält lächelte.

Einen Moment lang dachte Kathryn, ihre Marketingchefin würde jetzt aufstehen und gehen. Das wäre vielleicht sogar besser gewesen als das, was sie nun tat. Die ganzen nächsten 90 Minuten sagte Mikey kein Wort mehr, sondern saß nur stumm da, während die Gruppe das Gespräch fortführte.

Zum Schluss verlagerte sich das Gespräch natürlicherweise auf einige eher taktische Themen, die mit dem Geschäft zu tun hatten. Jane unterbrach das Gespräch und fragte Kathryn: »Kommen wir jetzt nicht vom Thema ab?«

Kathryn schüttelte den Kopf: »Nein, ich finde es gut, dass wir auf betriebliche Themen zu sprechen kommen, wenn wir hier Verhaltensfragen erörtern. Das ermöglicht uns zu schauen, wie wir das Ganze in die Praxis umsetzen können.«

So zufrieden Kathryn auch über die Interaktion war, die hier im restlichen Team stattfand, so unübersehbar war doch für sie, dass Mikeys Verhalten Bände darüber sprach, wie wenig sie in der Lage war, ihren Teamkollegen zu vertrauen.

Am Swimmingpool

Kathryn beendete die Sitzung kurz nach 22 Uhr, und mit Ausnahme von Jane und Nick, die gerade eine spontane Diskussion über Finanzpläne begonnen hatten, strebten alle ins Bett. Die Zimmer von Mikey und Kathryn lagen in dem kleinen Hotelkomplex in der Nähe des Pools, und Kathryn wollte versuchen, ob sie auf dem gemeinsamen Weg zum Zimmer vielleicht im Zweiergespräch weiterkommen konnten.

»Alles okay bei Ihnen?« Kathryn gab sich Mühe, nicht allzu dramatisch oder mütterlich zu klingen.

»Mir geht's gut.« Mikey konnte nicht besonders gut schauspielern.

»Ich weiß, das Ganze ist ein schwieriger Prozess, und Sie könnten durchaus den Eindruck gewonnen haben, dass die anderen ein bisschen hart mit Ihnen umgesprungen sind.«

»Ein bisschen? Hören Sie mal, ich lasse zu Hause nicht zu, dass man sich über mich lustig macht, und ich habe das bei der Arbeit erst recht nicht vor! Diese Typen haben doch keine Ahnung, wie man ein Unternehmen zum Erfolg führt!«

Von diesem Rundumschlag war Kathryn so überrascht, dass sie zunächst gar nicht wusste, wie sie reagieren sollte. Nach einer Weile sagte sie dann: »Wir können ja morgen darüber sprechen. Ich denke, die anderen sollten hören, wie Sie über die Sache denken.«

»Oh, ich werde morgen gar nichts sagen!«

Kathryn versuchte, auf diese Bemerkung hin nicht überzureagieren, die sie in erster Linie auf Mikeys momentane emotionale Verfassung schob: »Ich denke, morgen früh werden Sie sich schon wieder besser fühlen.«

»Nein, nein, ich meine das ganz ernst. Die werden gar nichts mehr von mir zu hören bekommen.«

Kathryn beschloss, es einstweilen dabei bewenden zu lassen: »Na, schlafen Sie erst mal gut!«

Sie waren gerade bei ihren Zimmern angekommen. Mikey beendete das Gespräch mit einem sarkastischen Auflachen: »Keine Sorge, das werde ich!«

Wiederaufnahme

Als Mikey am nächsten Morgen eintraf, waren nur Kathryn und Jane schon im Konferenzraum. Mikey wirkte unternehmungslustig und von den Ereignissen des gestrigen Tages unbeeindruckt, was für Kathryn eine positive Überraschung darstellte.

Nachdem alle eingetroffen waren, eröffnete Kathryn die Sitzung mit einer Kurzfassung ihrer gestrigen Ansprache: »Also ich denke, bevor wir jetzt anfangen, ist es ganz gut, wenn wir uns noch einmal daran erinnern, warum wir hier sind. Wir haben mehr Finanzmittel, erfahrenere Manager, bessere Technik und mehr Kontakte als alle unsere Wettbewerber, und dennoch haben wenigstens zwei von ihnen derzeit auf dem Markt die bessere Position. Unsere Aufgabe lautet, Umsatz, Profitabilität, Kundenakquisition und Kundentreue zu verbessern und vielleicht sogar die Voraussetzungen für eine Aktienerstemission zu schaffen. Aber das wird alles nicht klappen, wenn wir nicht als Team funktionieren.«

Sie machte eine Pause und war überrascht, wie aufmerksam ihre neuen Untergebenen ihr folgten. Es war fast, als hörten sie das alles zum ersten Mal. »Gibt es dazu Fragen?«

Alles blieb stumm, einige Stabsmitglieder schüttelten sogar den Kopf, als wenn sie sagen wollten: *Keine Fragen, fangen wir endlich an!* So interpretierte Kathryn es zumindest.

In den folgenden Stunden ging die Gruppe dann noch einmal das Material durch, das sie gestern behandelt hatten. Nach etwa einer Stunde schienen Martin und Nick ein wenig das Interesse zu verlieren, und JR wurde jedes Mal nervöser, wenn sein Handy vibrierte, ohne dass er drangehen konnte.

Kathryn beschloss, ihre Einwände vorwegzunehmen, bevor sie untereinander zu reden anfingen: »Ich weiß, dass Sie sich jetzt wahrscheinlich alle zu fragen beginnen ›Haben wir das nicht alles gestern schon besprochen?‹ Und ich weiß auch, dass wir hier wiederholen. Aber das wird alles nur dann haften bleiben, wenn wir voll und ganz verstanden haben, wie es anzuwenden ist.«

Eine weitere Stunde lang diskutierte die Gruppe also über die Konsequenzen ihrer jeweiligen Stil- und Verhaltenspräferenzen und über die Chancen und Herausforderungen, die diese Stile für die Gruppe mit sich brachten. Mikey leistete nur wenige Beiträge, und jedes Mal, wenn sie etwas sagte, schien sich der Gesprächsfluss dramatisch zu verlangsamen. Martin sagte zwar auch wenig, aber er schien dennoch aufmerksam zuzuhören und der Diskussion zu folgen.

Zur Mitte des Vormittags hatten sie die Wiederholung der interpersonellen Stile und Team-Verhaltensweisen abgeschlossen. Und nun, da nur noch weniger als eine Stunde bis zum Mittagessen blieb, beschloss

Kathryn, die wichtigste Übung des heutigen Tages vorzustellen, die ihr dann später als der Moment der Wahrheit für Mikey und das übrige Team in Erinnerung bleiben sollte.

Bewusstsein

Während sie wieder zu der weißen Kunststofftafel ging, erläuterte Kathryn: »Denken Sie daran, dass Teamwork damit beginnt, Vertrauen aufzubauen. Und die einzige Möglichkeit, das zu erreichen, besteht darin, unseren inneren Widerstand gegen Offenheit zu überwinden.« Sie schrieb den Ausdruck *Fehlende Offenheit* neben *Fehlendes Vertrauen* auf die Tafel.

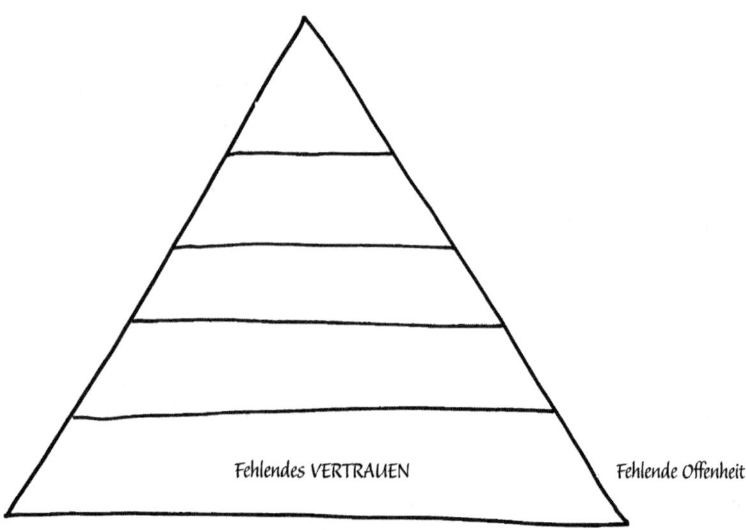

Dann fuhr sie fort: »Und deshalb werden wir heute Morgen alle auf eine risikoarme, aber durchaus relevante Weise Offenheit demonstrieren.«

Und dann bat sie alle, fünf Minuten lang zu überlegen, was nach ihrer Meinung wohl jeweils ihre größte Stärke und ihre größte Schwäche seien, wenn es um den eigenen Beitrag zum Erfolg und Misserfolg von DecisionTech ging. »Ich möchte nicht, dass Sie mir da irgendeine völlig unspezifische Schwäche servieren, und ich möchte auch nicht, dass

Sie Ihre Stärken herunterspielen, weil Sie vielleicht zu bescheiden oder zu verlegen sind, uns zu sagen, was Sie nach Ihrer eigenen Ansicht besonders gut können. Nehmen Sie diese einfache Übung bitte ernst und seien Sie bereit, sich zu öffnen.«

Als klar war, dass alle mit ihren Notizen fertig waren, begann Kathryn mit der Diskussion. »O. K., ich fange an.« Sie schaute kurz auf ihre Notizen: »Ich denke, meine größte Stärke oder zumindest die mit dem größten Einfluss auf unseren künftigen Erfolg ist, dass ich undurchsichtige, überflüssige Informationen gut durchschauen und direkt den entscheidenden Punkt erkennen kann. Ich habe ein Talent, überflüssige Details auszublenden und zum Kern der Sache vorzudringen, und das dürfte uns allen viel Zeit ersparen.«

Sie machte eine Pause und fuhr dann fort: »Meine Schwäche ist, dass ich keine besonders gute Repräsentantin nach außen hin bin. Genauer gesagt bin ich darin sogar ziemlich schlecht. Ich habe die Neigung, die Bedeutung von Public Relations unterzubewerten, und ich bin keine begabte und taktvolle Rednerin, wenn es darum geht, vor einer großen Gruppe aufzutreten oder gar vor einer Fernsehkamera. Wenn wir alles erreichen wollen, was wir uns wünschen, dann werde ich also in diesem Punkt Hilfe brauchen.«

Mit Ausnahme von JR und Mikey hatten sich alle Notizen gemacht, während Kathryn sprach. Das gefiel ihr. »So, wer will als Nächstes?«

Niemand meldete sich auf Anhieb freiwillig. Alle schauten sich um – einige schienen zu hoffen, dass einer der Kollegen sich freiwillig melden würde, andere sahen so aus, als warteten sie auf die Erlaubnis zu reden.

Schließlich brach Nick das Eis: »Ich mach's. Gut, schauen wir mal ...« Er blickte noch einmal auf seine Notizen. »Meine größte Stärke ist, dass ich keine Angst habe, wenn es um Verhandlungen oder generell den Umgang mit externen Firmen geht, ob es nun Partner sind, Lieferanten oder Konkurrenten. Ich habe keine Probleme, sie dazu zu bringen, mehr zu liefern, als sie vorhatten. Meine größte Schwäche ist dagegen, dass ich manchmal als arrogant rüberkomme.«

Einige von Nicks Kollegen lachten ein wenig nervös.

Nick lächelte und fuhr dann fort: »Ja, ich hatte dieses Problem schon, als ich auf dem College war, und wahrscheinlich auch schon früher. Ich kann mitunter ziemlich sarkastisch und sogar rüde sein und komme manchmal daher, als wäre ich schlauer als alle anderen. Und das mag ja vielleicht noch okay sein, wenn ich mit einem Lieferanten verhandle, nehme ich an, aber wenn das unter uns passiert, dann könnte ich mir schon vorstellen, dass einigen das ein wenig auf den Zeiger geht, und das dürfte dann vermutlich der gemeinsamen Sache nicht so zuträglich sein.«

Jeff merkte an: »Klingt, als hätten Stärke und Schwäche bei Ihnen dieselbe Wurzel.«

Zu jedermanns Überraschung äußerte Martin seine Zustimmung: »Ist das nicht fast immer so?«

Rund um den Tisch war Kopfnicken zu sehen.

Kathryn war beeindruckt von der Ehrlichkeit, die Nick allem Anschein nach an den Tag gelegt hatte, und auch von der Bereitschaft der anderen Stabsmitglieder, Kommentare abzugeben. Sie war froh, dass er den Anfang gemacht hatte: »Gut, das war genau das, was ich mir hier wünsche. Wer macht weiter?«

Jane meldete sich freiwillig und nannte ihre Managementfertigkeiten und ihre Detailgenauigkeit als Stärken, wobei alle sofort zustimmten. Dann räumte sie ein, dass sie in puncto Finanzen konservativer sei, als es die Finanzchefin eines Start-up-Unternehmens wohl sein sollte. Sie erklärte, das liege hauptsächlich an ihrer Ausbildung bei größeren Unternehmen und auch an ihrer Sorge, dass ihre Managementkollegen ihrem Eindruck nach kein ausreichendes Kostenbewusstsein an den Tag legten. »Trotzdem mache ich es Ihnen allen, weil ich so ein Kontrollfreak bin, wahrscheinlich schwerer, mir ein Stück entgegenzukommen.«

Carlos versicherte ihr, dass der Rest der Gruppe in dieser Hinsicht sicher ein paar Schritte auf sie zugehen könne.

Jeff machte weiter. Er hatte ziemlich zu kämpfen, als er versuchte, seine erstaunlichen Fähigkeiten als Netzwerker und beim Aufbau von Partnerschaften mit Investoren und Partnern ins rechte Licht zu rücken.

Aber Jane ließ ihn damit nicht durchkommen. »Jetzt hören Sie aber mal, Jeff! Also wenn wir hier eines richtig gut hingekriegt haben, dann war das doch wohl, wie wir wahre Bootsladungen an Kapital aufgetrieben und Investoren für unser Unternehmen begeistert haben! Da sollten Sie Ihre Rolle aber wirklich nicht herunterspielen!«

Jeff nahm den gutherzigen Tadel widerstrebend hin, und dann verblüffte er alle völlig, als er seine empfundene Schwäche enthüllte: »Ich habe ziemlich große Angst vorm Scheitern. Daher neige ich dazu, Dinge zu stark steuern zu wollen, und mache sie am liebsten selbst. Ich sage ungern anderen Leuten, was sie tun sollen, und das macht es dann ironischerweise umso wahrscheinlicher, dass ich mit einer Sache scheitere.«

Für einen winzigen Moment sah es so aus, als hätte Jeff mit seinen Gefühlen zu kämpfen, aber er hatte sich sofort wieder im Griff. Er war sicher, es war niemandem aufgefallen. »Und das ist wahrscheinlich auch der Hauptgrund, warum wir keinen Erfolg hatten und ich jetzt kein Geschäftsführer mehr bin.« Er machte eine Pause, bevor er schnell ergänzte: »Was für mich völlig okay ist! Offen gestanden bin ich sogar ziemlich froh, dass ich diesen Job los bin!«

Die Gruppe lachte aufmunternd.

Kathryn mochte es gar nicht glauben, dass gleich die ersten drei Leute ihre Sache so gut gemacht hatten. Einen Moment lang hegte sie die Hoffnung, der Schwung würde anhalten und der Tag zum durchschlagenden Erfolg werden. Und dann ergriff Mikey das Wort.

»O. K., ich bin die Nächste.« Anders als ihre Kollegen, die vor ihr gesprochen hatten, schaute Mikey fast die gesamte Zeit, in der sie redete, auf ihre Notizen: »Meine größte Stärke ist mein Verständnis des Technologie-Marktes und die Kommunikation mit Analysten und Medien. Meine größte Schwäche sind meine geringen Finanzkenntnisse.«

Schweigen. Keine Kommentare. Keine Fragen. Nichts.

Genau wie Kathryn waren auch fast alle anderen im Raum zwischen zwei Gefühlen hin- und hergerissen: einerseits der Erleichterung darüber, dass Mikey mit ihrem Beitrag fertig war, andererseits der Enttäuschung über die Oberflächlichkeit ihrer Antworten. Kathryn hatte aber nicht das Gefühl, es wäre zu diesem Zeitpunkt richtig, ihre Marketingleiterin zu zwingen, offener zu sein. Das würde Mikey schon von sich aus tun müssen.

Mit jeder Sekunde, die verrann, betete die Gruppe, dass endlich einer das Schweigen brechen möge. Schließlich war es Carlos, der sie aus der Verlegenheit erlöste.

»O. K., jetzt ich.« Er tat sein Bestes, die Diskussion wieder auf ein höheres Niveau zu bringen, und nannte die Gründlichkeit, mit der er Dinge zum Abschluss führte, als seine Stärke, und das Versäumnis, andere über seine Fortschritte auf dem Laufenden zu halten, als seine Schwäche.

Als er fertig war, meldete sich Jane zu Wort: »Carlos, ich finde, Sie liegen mit beiden Antworten falsch.« Kathryn, die nicht wusste, dass Carlos und Jane sich im Laufe der Zeit recht nahe gekommen waren, war verblüfft über die Direktheit ihrer Bemerkung.

Jane fuhr fort: »Zunächst einmal, so gründlich Sie auch arbeiten: In Wahrheit ist Ihre Stärke doch Ihre Bereitschaft, hier immer wieder die Drecksarbeit zu erledigen, ohne je zu meckern. Ich weiß, das klingt furchtbar, aber ich wüsste nicht, was hier passieren würde, wenn Sie uns nicht ständig aus der Klemme helfen würden.« Etliche andere äußerten ihre Zustimmung. »Und auf der negativen Seite finde ich, sie könnten uns auf Konferenzen ruhig ein bisschen mehr darüber verraten, was Sie denken. Sie halten sich viel zu sehr zurück.«

Alle schienen abzuwarten, was Carlos wohl darauf sagen würde, aber der nickte nur und machte sich eine Notiz: »O. K.«

JR meldete sich als Nächster und rief einen Sturm des Gelächters hervor, als er erklärte: »Also, meine Stärke ist ganz klar die Gründlichkeit, mit der ich immer alle Aufträge ausführe, und meine Detailverliebtheit ...« Die Gruppe genoss das Lachen, bis JR fortfuhr: »Also dann ernsthaft: Ich bin ziemlich gut darin, starke persönliche Beziehungen zu Kunden aufzubauen. Nein, das kann ich sogar sehr gut.« Er sagte das bescheiden genug, dass alle es anerkannten. »Auf der negativen Seite: Wenn ich etwas für nicht so furchtbar wichtig halte, was bei mir in der Regel heißt, dass es mich keinem Verkaufsabschluss näherbringt, dann kann es gut sein, dass es mir schon mal durch die Lappen geht.«

»Schon mal?«, fragte Nick und brachte den Saal erneut zum Wiehern.

JR wurde rot. »Ich weiß, ich weiß. Ich schaffe es offenbar einfach nicht, meine To-do-Liste abzuarbeiten. Ich weiß nicht, woran das liegt. Aber ich schätze, das ist schlecht fürs Team.«

Als einziger der Manager war jetzt noch Martin übrig. »O. K., dann bin ich wohl der Nächste.« Er atmete einmal tief durch. »Es ist eigentlich nicht so mein Ding, in dieser Form über mich zu reden, aber wenn es denn sein muss, dann würde ich sagen, ich bin gut darin, Probleme zu lösen, Dinge zu analysieren, solche Sachen. Worin ich nicht so gut bin, ist die Kommunikation mit anderen Menschen.« Er machte eine Pause. »Ich meine nicht, dass ich das nun gar nicht könnte. Aber jedenfalls sind mir Leute lieber, die nicht so empfindlich sind. Ich führe Gespräche gern auf einer rein intellektuellen Ebene, wo ich mir keine Gedanken machen muss, was die Leute empfinden und so etwas. Klingt das nachvollziehbar?«

»Klar«, meinte Jeff, der sich entschloss, ein Wagnis einzugehen. »Das Problem ist nur, dass die Leute dann leicht den Eindruck kriegen, dass Sie sie nicht mögen. Dass Sie sie als reine Zeitverschwendung betrachten.«

Martin wirkte durch Jeffs Bemerkung sichtlich enttäuscht. »Nein, so ist das doch gar nicht. Ich meine, das ist nicht meine Absicht. Ach Scheiße. Das ist schlecht. Ich meine das ja gar nicht so, aber ich denke, ich kann durchaus verstehen, dass es so rüberkommen kann. Ich weiß nicht, wie ich das ändern soll.«

Hier schaltete sich zum ersten Mal an diesem Morgen lächelnd Mikey ein: »Jahrelange Psychotherapie, mein Freund. Und selbst dann werden Sie es wahrscheinlich nicht ändern können. Sie sind halt einfach ein arroganter Arsch. Aber sind das hier im Silicon Valley nicht alle?«

Mikey lachte. Als Einzige. Bis auf Martin, der durch die Bemerkung peinlichst berührt war und unterstreichen wollte, dass sie humorvoll gemeint sei. Aber innerlich war er aufgelöst.

Hinterher hätte sich Kathryn selbst in den Hintern treten können, weil sie Mikey nicht zur Rede gestellt hatte wegen dieser Bemerkung, die Kathryn zu diesem Zeitpunkt auf Mikeys erstaunlich geringe emotionale Intelligenz schob. Aber wie dem auch sei, ihr war jetzt klar, dass Mikeys Verhalten ganz reale Auswirkungen auf die Gruppe hatte.

Ego

Als nach der Mittagspause alle wieder ihre Plätze am Tisch eingenommen hatten, gab Kathryn die neue Richtung bekannt: »So, wir machen jetzt direkt mit der letzten Dysfunktion weiter, aber auf das Thema Angst vor Offenheit und die Bedeutung von Vertrauen werden wir im Laufe des kommenden Monats noch viele, viele Male zurückkommen. Falls sich jemand unter Ihnen darauf nicht freuen sollte, dann sollte er sich lieber dafür wappnen.«

Alle nahmen an, dass diese Bemerkung auf Mikey gemünzt war. Keiner konnte ahnen, dass ein weiteres Mitglied des Teams hier genauso zu kämpfen hatte.

Kathryn kennzeichnete die nächste Dysfunktion, indem sie wieder zu der weißen Tafel ging und *Fehlende Ergebnisorientierung* an die Spitze des Dreiecks schrieb.

»Wir gehen jetzt ganz an die Spitze des Diagramms und sprechen über die letzte Dysfunktion: die Neigung von Teammitgliedern, individuelle Anerkennung und Aufmerksamkeit auf Kosten der Ergebnisse zu suchen. Und mit Ergebnissen meine ich hier die Gruppenziele, die Ziele des gesamten Teams.«

Nick fragte: »Geht es hier um Ego?«

»Ja, ich denke, das ist ein Teil davon«, stimmte Kathryn zu. »Aber ich will damit nicht sagen, dass es in einem Team keinen Platz fürs Ego gäbe. Die Lösung besteht vielmehr darin, das Gruppen-Ego größer zu machen als das individuelle Ego.«

»Ich bin jetzt nicht ganz sicher, ob ich verstanden habe, was das mit Ergebnissen zu tun hat«, bemerkte Jeff.

»Nun, wenn alle auf das Ergebnis konzentriert sind und ihren Erfolg nur über das Ergebnis definieren, dann läuft das Ego nicht so leicht aus dem Ruder. Ganz egal, wie gut oder schlecht sich eine Einzelperson in der eigenen Situation fühlt: Wenn das Team verliert, verlieren alle.«

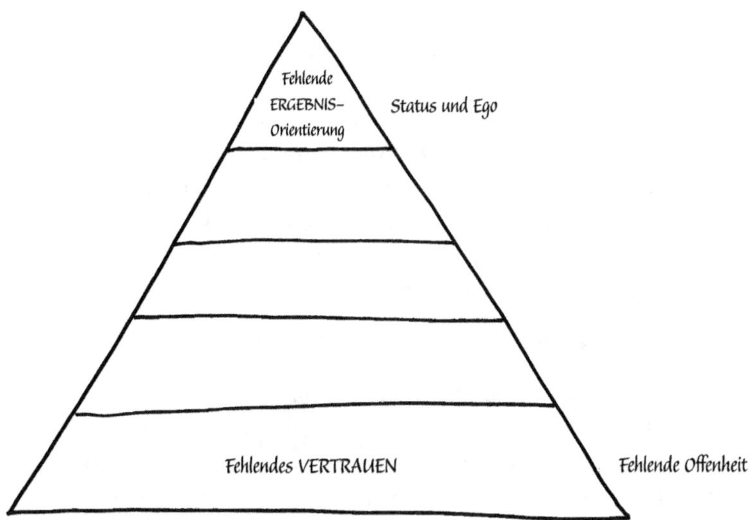

Kathryn konnte sehen, dass einige ihrer Untergebenen ihr nicht ganz folgen konnten, daher wählte sie einen anderen Ansatz: »Ich habe Ihnen doch gestern erzählt, dass mein Mann Basketballtrainer an der St. Jude's High School in San Mateo ist.«

»Und zwar ein verdammt guter Basketballtrainer!«, ergänzte Nick. »Er hat schon Angebote von Colleges bekommen, als ich noch auf die Highschool ging, und er hat sie Jahr für Jahr alle abgelehnt. Er ist eine echte Legende.«

Kathryn war stolz auf ihren Mann und freute sich über Nicks Kommentar. »Ja, er ist in dieser Hinsicht wohl wirklich ein bisschen ungewöhnlich, und er ist mit Sicherheit ziemlich gut. Na jedenfalls, ihm geht das Team über alles. Und so gut seine Teams auch sind, es spielen doch nur wenige seiner Kids später an großen Colleges Basketball, denn offen gesagt sind etliche unter ihnen gar nicht so besonders talentiert. Sie gewinnen aber, weil sie Team-Basketball spielen, und so können sie oft auch größere, schnellere und talentiertere Spielergruppen schlagen.«

Nick nickte zustimmend, mit der Gewissheit dessen, der schon etliche Male gegen das Team von St. Jude's verloren hat.

»Jedenfalls, ab und zu bekommt Ken, das ist mein Mann, auch einmal Spieler in die Mannschaft, denen die Ergebnisse nicht so wichtig sind. Oder zumindest nicht die Ergebnisse des Teams. Ich erinnere mich noch gut an ein Kind vor ein paar Jahren, das nur an seiner eigenen Statistik und seiner persönlichen Anerkennung interessiert war: Team des Tages, sein Bild in der Zeitung und solche Sachen. Auch wenn das Team verloren hatte, war er zufrieden, solange er seine Punkte gemacht hatte. Und wenn das Team gewann, konnte er trotzdem unzufrieden sein, wenn er selbst nicht genügend Punkte gesammelt hatte.«

Jane war neugierig: »Und was hat Ihr Mann gemacht?«

Kathryn lächelte, weil sie gern über Ken sprach: »Das ist genau das Interessante. Dieses Kind war ohne Zweifel einer der begabtesten Spieler des Teams. Aber Ken hat ihn trotzdem auf die Bank gesetzt. Ohne ihn spielte das Team besser, und schließlich ist er dann gegangen.«

»Hart«, bemerkte JR.

»Stimmt, aber im folgenden Jahr kam er mit einer ganz anderen Einstellung wieder, und er spielte nach seinem Abschluss schließlich fürs Saint Mary's College. Heute wird er Ihnen erzählen, dass das für ihn das wichtigste Jahr seines Lebens war.«

Jane war immer noch neugierig: »Glauben Sie, dass sich solche Typen alle ändern können?«

Kathryn antwortete ohne zu zögern: »Nein! Auf ein Kind wie dieses kommen zehn, die das nie geschafft haben.« Die Gruppe fand diese dezidierte Antwort ziemlich ernüchternd, und mehr als einer dachte in diesem Moment an Mikey. »Und so hart das jetzt auch klingen mag: Ken sagt immer, seine Aufgabe besteht darin, das bestmögliche Team zu formen, nicht, die Karrieren einzelner Sportler zu fördern. Und so sehe ich auch meinen Job.«

Jeff beschloss, eine Frage an die Gruppe zu richten: »Hat hier jemand auf der Highschool oder am College eine Teamsportart betrieben?«

Erst wollte Kathryn Jeffs kleine Umfrage stoppen, damit das Gespräch in der von ihr geplanten Richtung weiterlaufen konnte. Aber dann beschloss sie, eine kleine spontane Diskussion könnte für das Team auch ganz nützlich sein, solange es um Teamwork ging.

Jeff ließ seinen Blick um den Tisch wandern, um jedem die Gelegenheit zu geben, auf seine Frage zu antworten.

Nick berichtete, er habe am College Baseball gespielt. Carlos war Football-Verteidiger gewesen.

Martin verkündete stolz: »Ich habe auch Fußball gespielt, aber den richtigen!« Alle grinsten über ihren europäischen Kollegen.

Mikey erzählte, sie sei an der Highschool gelaufen.

Als Nick einwandte »Aber das ist doch eine Individual...«, unterbrach sie ihn schlau: »Aber ich bin im Staffelteam gelaufen!«

Kathryn erinnerte daran, dass sie Volleyball gespielt hatte.

Jane berichtete, sie sei Cheerleader und in der Tanzgruppe gewesen. »Und wenn hier einer behaupten sollte, das seien keine Teams, dann kürze ich ihm das Budget um die Hälfte!«

Sie lachten.

Jeff gestand seinen Mangel an sportlicher Begabung ein: »Ja wissen Sie, ich verstehe einfach nicht, warum alle immer denken, Sport sei die einzige Möglichkeit, Teamwork zu lernen. Ich habe nie viel Ball gespielt, auch nicht als Kind. Aber ich war auf der Highschool und am College in einer Band, und ich glaube, das mit dem Teamverhalten habe ich auch da ganz gut mitgekriegt.«

Kathryn sah hier die Gelegenheit, die Gesprächsleitung wieder an sich zu ziehen: »Aha, guter Hinweis! Zunächst einmal lässt sich Teamwork tatsächlich bei einer Vielzahl von Aktivitäten erlernen, praktisch in allen Fällen, in denen eine Gruppe zusammenarbeitet. Es gibt aber auch einen besonderen Grund, warum so oft von Sport die Rede ist, wenn es um Teams geht.« Die Lehrerin für Siebtklässler kam zum Vorschein, als Kathryn nun eine Frage formulierte, um ihren Schülern die Chance zu geben, die Antwort selbst zu finden: »Weiß jemand, warum?«

Und wie früher so oft im Klassenraum, hatte auch hier in der Gruppe niemand eine Idee. Aber Kathryn wusste, wenn sie nur eine Weile das Schweigen aushalten konnte, dann würde bald schon jemand mit einer Antwort kommen. Diesmal war es Martin:

»Die Punkte.« Wie üblich lieferte Martin nur wenig Kontext mit seiner Antwort.

»Erklären Sie«, forderte Kathryn ihn auf, wie sie es auch bei ihren Schülern getan hätte.

»Na, in den meisten Sportarten gibt es doch hinterher, nach dem Spiel, eine klare Punktezählung, nach der man entweder gewonnen oder verloren hat. Da bleibt dann wenig Raum für Unklarheit, das heißt, es bleibt wenig Raum für ...« Er überlegte einen Moment, um die richtigen Worte zu finden: »... für subjektiven, hineininterpretierten, egobedingten Erfolg, wenn Sie verstehen, was ich meine.«

Kopfnicken im Raum als Zeichen, dass man verstanden hatte.

»Moment mal«, wollte JR jetzt wissen, »wollen Sie mir hier erzählen, Sportler hätten kein Ego?«

Martin schien nicht recht weiterzuwissen, daher schaltete sich Kathryn ein: »Die haben sogar ein riesiges Ego! Aber das Ego großer Sportler ist in der Regel ganz klar mit einem konkreten Ergebnis verknüpft: dem Gewinnen. Die wollen einfach nur gewinnen. Das ist ihnen wichtiger als die Aufnahme in die Nationalmannschaft, als das eigene Bild auf einer Schachtel Cornflakes, ja, auch wichtiger als das Geld.«

»Na, da bin ich mir aber nicht so sicher, ob es da noch viele Teams dieser Sorte gibt, jedenfalls nicht im Profisport«, erklärte Nick.

Kathryn lächelte: »Und das ist ja gerade das Schöne! Die Teams, die das hinbekommen, haben heute größere Vorteile als je zuvor, weil sie es bei ihren Gegnern meist mit einer Truppe von Individualisten zu tun haben, von denen jeder nur an sich denkt.«

Mikey schaute etwas gelangweilt: »Und was hat das jetzt alles mit einem Software-Unternehmen zu tun?«

Und wieder einmal hatte Mikey das Gespräch abgewürgt. Aber Kathryn wollte sie auf jede erdenkliche Weise ermuntern, auch wenn sie sich inzwischen selbst fragte, wie wahrscheinlich es wohl war, dass sie sie noch auf Kurs bringen konnte: »Wieder eine gute Frage! Das hat jede Menge mit uns zu tun! Sehen Sie, wir wollen, dass unsere Gruppenziele die gleiche Bedeutung bekommen wie der Ausgang eines

Fußballspiels. Wir wollen keinen Interpretationsspielraum haben, was unseren Erfolg angeht, denn dann hätte wieder das individuelle Ego seine Chance, sich hineinzumogeln.«

»Haben wir denn unsere Punktetabelle nicht längst?«, beharrte Mikey.

»Sie sprechen vom Gewinn?«, fragte Kathryn.

Mikey nickte mit einem Gesicht, als wolle sie sagen: *Ja was denn sonst?*

Kathryn erläuterte geduldig: »Der Gewinn ist mit Sicherheit ein ganz wichtiges Element. Aber ich rede hier eher von kurzfristigen Ergebnissen. Denn wenn Sie den Gewinn zum einzigen Maßstab Ihres Erfolges machen, dann wissen Sie ja erst ganz gegen Ende der Saison, wie das Team sich geschlagen hat.«

»Jetzt bin ich aber doch etwas verwirrt«, gestand Carlos. »Ist Gewinn nicht der einzige Maßstab, der zählt?«

Kathryn lächelte: »Ja, ich bin hier vielleicht ein wenig akademisch. Lassen Sie es mich ganz einfach sagen: Unsere Aufgabe besteht darin, die Ergebnisse, die wir erzielen müssen, für jeden hier im Raum so klar zu machen, dass niemand auch nur auf die Idee käme, etwas nur deshalb zu tun, weil er damit seinen persönlichen Status verbessern könnte. Weil das nämlich unsere Aussichten verringern würde, unsere Gruppenziele zu erreichen. Weil wir dann alle verlieren würden.«

Ganz allmählich schien jetzt etwas haften zu bleiben, daher machte Kathryn schnell weiter: »Der Schlüssel ist natürlich, dass wir unsere Ziele, unsere Ergebnisse so definieren, dass sie leicht genug zu verstehen sind und dabei so spezifisch, dass man sie handhaben kann. Gewinn ist nicht handhabbar genug. Es muss ein engerer Bezug zu dem bestehen, was wir Tag für Tag machen. Und deshalb wollen wir doch gleich mal schauen, ob uns da nicht etwas einfällt!«

Ziele

Kathryn teilte die Teilnehmer in Zweier- und Dreiergruppen ein und forderte die Gruppen auf, Kategorien von Ergebnissen vorzuschlagen, die für eine Punktetabelle des Teams genutzt werden konnten: »Es geht hier noch nicht darum, das Ganze zu quantifizieren; erarbeiten Sie erst einmal nur die Kategorien.«

Innerhalb einer Stunde hatte die Gruppe mehr als 15 verschiedene Ergebnis-Kategorien ausgearbeitet. Durch die Kombination einiger und den Ausschluss anderer wurde die Liste anschließend auf sieben eingeengt: Umsatz, Kosten, Neukundenakquise, laufende Kundenzufriedenheit, Mitarbeitertreue, Bekanntheitsgrad am Markt und Produktqualität. Außerdem entschieden sie, dass diese Kategorien monatlich gemessen werden sollten, denn wenn sie erst auf Quartalsergebnisse warten müssten, hätten sie nicht mehr ausreichend Gelegenheit, Probleme rechtzeitig zu erkennen und gegenzusteuern.

Leider schien jetzt, da das Gespräch wieder aufs Thema Geschäft kam, im Raum einiges an Leichtigkeit verloren zu gehen und stattdessen wie üblich der Kritik Platz zu machen.

Martin fing an: »Sorry Kathryn, aber das ist doch nichts Neues; das sind ziemlich genau dieselben Maßstäbe, die wir auch die letzten neun Monate schon angelegt haben.«

Es fühlte sich an, als würde sich Kathryns Glaubwürdigkeit direkt vor ihren Augen zum Teil in Luft auflösen.

JR setzte noch einen drauf: »Ja, und nichts davon hat uns geholfen, den Umsatz zu steigern. Offen gestanden weiß ich nicht, ob irgendetwas davon eine Rolle spielt, solange wir nicht endlich ein paar Abschlüsse schaffen, und zwar schnell.«

Kathryn war geradezu amüsiert, wie vorhersehbar das alles war, was sich da vor ihren Augen abspielte. Sobald die geschäftliche Wirklichkeit mit all ihren Problemen in eine Situation wie diese einbezogen wurde, kehrten alle wieder zu den Verhaltensweisen zurück, die sie überhaupt erst in ihre missliche Lage gebracht hatten, dachte Kathryn. Aber sie war darauf vorbereitet.

»O. K., Martin, können Sie uns sagen, was unser Ziel für den Bekanntheitsgrad am Markt im letzten Quartal war?«

Mikey korrigierte ihre Chefin: »Wir nennen das Public-Relations-Aktivität!«

»Na gut.« Sie wandte sich wieder an Martin: »Können Sie uns dann sagen, wie unser PR-Ziel genau lautete?«

»Nö. Aber ich wette, Mikey kann das. Ich kann Ihnen dafür aber sagen, was unsere Produktentwicklungsdaten sind.«

»Gut, dann sagen Sie mir aber wenigstens, wie wir denn in puncto Public-Relations-Aktivität abgeschnitten haben!« Sie hatte diese Frage wieder an Martin gerichtet, mit dem unmissverständlichen Unterton, dass er die Antwort darauf eigentlich wissen müsse.

Er wirkte leicht verwirrt: »Ja verdammt, weiß ich nicht. Ich nehme an, Jeff und Mikey reden über solche Sachen. Ich nehme aber auch an, dass wir nicht besonders gut abgeschnitten haben, angesichts unserer aktuellen Umsatzzahlen.«

Mikey blieb bemerkenswert ruhig, was aber ihre anschließende Bemerkung nur umso unerfreulicher machte: »Hört mal, ich habe meine PR-Zahlen jede Woche in unseren Konferenzen dabei, aber gefragt hat mich noch nie einer danach. Im Übrigen kann ich auch kein Presseecho bekommen, wenn wir nichts verkaufen!«

Diese Bemerkung hätte zwar JR stärker treffen müssen als jeden anderen, dennoch war es Martin, der darauf antwortete. Er tat es sarkastisch: »Das ist ja komisch. Ich dachte immer, Marketing wäre dazu da, die Umsätze zu steigern. Da muss ich wohl etwas falsch verstanden haben.«

Als hätte sie Martins Bemerkung gar nicht gehört, fuhr Mikey fort sich zu verteidigen: »Ich kann euch garantieren, dass unsere Probleme nicht aufs Marketing zurückzuführen sind. Ich finde sogar, meine Abteilung hat sich ziemlich beachtlich geschlagen, angesichts des Materials, mit dem wir zu arbeiten haben.«

Carlos war drauf und dran zu sagen: *Aber Ihre Abteilung kann gar nicht gut gearbeitet haben, denn unser Unternehmen läuft nicht gut, und wenn unser Unternehmen nicht gut läuft, dann haben wir alle nicht gut gearbeitet, und da gibt es dann auch keine Möglichkeit, die Arbeit der eigenen Abteilung zu rechtfertigen ...* Aber er wollte Mikey nicht noch stärker unter Druck setzen, weil er befürchtete, sie könnte dann zusammenbrechen, also schluckte er es runter.

So frustriert, wie alle im Moment waren, erwartete Kathryn fast, dass es jetzt gleich zum Eklat kommen würde. Aber das Gespräch endete einfach so. Es erstarb.

So läuft das hier also, dachte Kathryn.

Tiefengewebe

Kathryn war entschlossen, den Schwung nicht wieder verloren gehen zu lassen.

»O. K., ich denke, ich sehe jetzt das tiefer liegende Problem.«

Jeff grinste und entgegnete sarkastisch, wenn auch auf die nette Art: »Ach?«

Kathryn lachte: »Ganz schön gut beobachtet, was? Also, wenn ich davon rede, dass sich alle auf Ergebnisse konzentrieren sollen statt auf individuelle Anerkennung, dann meine ich, dass sich alle auf einen Satz gemeinsamer Ziele und Maßstäbe einigen und diese dann auch tatsächlich anwenden sollen, wenn sie Tag für Tag Gruppenentscheidungen treffen.«

Als sie sah, dass sie ihr diesen offensichtlichen Punkt nicht so schnell zugestehen würden, beschloss Kathryn, es mit einer Frage zu versuchen: »Wie oft kommt es vor, dass Sie besprechen, ob Ressourcen zur Quartalsmitte von einer Abteilung zur anderen verschoben werden sollen, damit sichergestellt ist, dass ein in Gefahr geratenes Ziel verwirklicht werden kann?«

Der Ausdruck auf ihren Gesichtern sagte: *Nie!*

»Und wie gründlich checken Sie auf Konferenzen die Ziele im Detail und bohren nach, ob sie eingehalten werden oder nicht?« Die Antwort kannte sie schon.

Jeff erklärte: »Ich muss dazu sagen, dass ich es einfach immer als Mikeys Job angesehen habe, sich ums Marketing zu kümmern, als Martins Aufgabe, die Produkte zu entwickeln, und als JRs, Verkäufe zu tätigen. Ich habe geholfen, wo ich konnte, aber im Übrigen habe ich jedem die Verantwortung für sein Ressort gelassen. Und ich habe mich so oft ich konnte im persönlichen Gespräch mit ihren Problemen befasst.«

Kathryn griff wieder auf die sportliche Analogie zurück, in der Hoffnung, damit zu ihnen durchzudringen: »O. K., stellen Sie sich doch bitte mal einen Fußballtrainer in der Halbzeitpause vor. Er ruft den Mannschaftskapitän in seine Kabine, um mit ihm im Zweiergespräch über die erste Halbzeit zu sprechen. Dann tut er dasselbe mit dem Mittelstürmer, dem Außenverteidiger, dem Innenverteidiger und dem Torwart, ohne dass der eine weiß, was mit dem anderen besprochen wurde. Das ist dann doch kein Team. Das ist eine Ansammlung von Individualisten!«

Und allen im Raum war klar, dass genau das im Management-Stab von DecisionTech der Fall war.

Kathryn lächelte ungläubig, als wollte sie sagen: *Ich kann es einfach nicht glauben, dass ich Ihnen das alles erklären muss.* Dann sagte sie in geduldigerem Tonfall: »Sie alle, jeder von Ihnen, sind für den Verkauf zuständig. Nicht nur JR! Sie sind alle fürs Marketing verantwortlich. Nicht nur Mikey! Sie sind alle für Produktentwicklung, Kundendienst und Finanzen verantwortlich. Leuchtet das ein?«

Konfrontiert mit der schlichten Wahrheit von Kathryns Appell und ihren offensichtlichen Unzulänglichkeiten als Gruppe, schien bei ihnen nun jede Illusion von Einheit, die den ersten Tag noch überlebt hatte, verschwunden.

Nick schüttelte den Kopf und sagte dann, als könne er einfach nicht mehr an sich halten: »Wissen Sie, ich frage mich wirklich, ob wir hier die richtigen Leute am Tisch sitzen haben. Vielleicht brauchen wir einfach ein paar Schwergewichte mehr, die unsere Bilanzen aufbessern und uns die richtigen strategischen Partnerschaften besorgen können.«

JR war über diesen passiven Angriff gegen den Verkauf nicht besonders glücklich, sagte aber wie gewöhnlich nichts.

Dafür aber Kathryn: »Leute, habt ihr euch schon mal die Websites der Konkurrenz angesehen?« Einige nickten, wussten aber nicht so recht, worauf sie hinauswollte. »Kennen Sie die Erfolgsbilanzen der Leute, die diese Läden führen?« Ausdruckslose Gesichter. »Genau. Die haben auch keine Schwergewichte in ihren Teams. Warum, glauben Sie dann, haben die mehr Erfolg als Sie?«

Jeff versuchte sich an einer halbherzigen Erklärung: »Na ja, Wired Vineyard hat eine strategische Partnerschaft mit Hewlett-Packard geschlossen. Und Telecart macht zurzeit den meisten Umsatz mit geschäftlichen Dienstleistungen.«

Kathryn wirkte nicht überzeugt: »Na und? Was hält Sie davon ab, eine Partnerschaft einzugehen oder Ihren Geschäftsplan so anzupassen, wie die das gemacht haben?«

Jane hob die Hand, weil sie etwas sagen wollte, wartete aber nicht ab, bis Kathryn sie wahrgenommen hatte: »Nehmen Sie mir das jetzt nicht übel, Kathryn, aber könnten Sie vielleicht künftig *wir* und *uns* sagen statt immer nur *Sie*? Sie sind hier schließlich Geschäftsführerin und gehören auch mit zu unserem Team!«

Im Raum wurde es still, und alle schauten zu Kathryn, um zu sehen, wie sie wohl mit dieser scharfen Bemerkung umgehen würde. Die schaute zu Boden, als müsse sie sich erst entscheiden, was sie jetzt wohl sagen würde, und blickte dann wieder auf: »Sie haben völlig recht, Jane. Ich bin schließlich nicht als externe Beraterin hier. Danke, dass Sie mich daran erinnert haben. Ich nehme an, dass ich einfach noch nicht wirklich das Gefühl habe, schon zur Gruppe zu gehören.«

»Willkommen im Club!«

Janes Bemerkung traf alle unvorbereitet.

»Wie meinen Sie das denn?«, fragte Nick.

»Tja, ich weiß ja nicht, wie's euch geht, Leute, aber ich fühle mich hier einfach nicht einbezogen bei allem, was über die Finanzen hinausgeht. Manchmal fühle auch ich mich hier wie eine externe Beraterin. In anderen Unternehmen, wo ich bisher gearbeitet habe, bin ich immer weit mehr in Verkauf und Betriebsabläufe eingebunden gewesen. Hier fühle ich mich irgendwie in meinem eigenen Bereich isoliert.«

Carlos stimmte zu: »Ja, es fühlt sich auf den Stabs-Konferenzen tatsächlich immer irgendwie so an, als hätten wir nicht alle dieselben

Ziele im Kopf. Es ist so, als kämpften wir um mehr Ressourcen für die eigene Abteilung und wollten lieber nichts damit zu tun haben, was nicht zu unserem eigenen Bereich gehört.«

Carlos' Logik konnte kaum jemand widersprechen. »Und ihr findet es immer so toll, wenn ich etwas freiwillig übernehme, aber so haben in den meisten anderen Unternehmen, wo ich bisher war, alle gearbeitet!«

Kathryn war so froh, dass allmählich ein paar Leute im Team aus der Reserve zu kommen schienen, dass sie von der Reaktion auf ihre nächste Bemerkung völlig überrumpelt wurde: »Die Bürointrigen, das Taktieren hier sind wirklich erschreckend, und das liegt daran, dass jeder viel zu ehrgeizig versucht, selbst etwas zu erreichen, was dann die Konzentration auf den individuellen Erfolg fördert.«

Nick runzelte die Stirn: »Jetzt aber mal halt! Ich gebe es ja zu, wenn Sie sagen, dass wir hier vielleicht nicht die bestfunktionierende Manager-Gruppe im Silicon Valley sind, aber ich finde, es geht doch ein bisschen weit, wenn Sie behaupten, dass wir hier nur taktieren!«

»Nein. Das ist in dieser Gruppe durchaus einer der schlimmsten Fälle von Taktiererei, die ich je gesehen habe.« Als sie das aussprach, war Kathryn bereits klar, dass sie ihre Worte vielleicht ein wenig besser hätte abwägen sollen. Es war sofort festzustellen, dass die Leute im Raum gegenüber dieser harschen Kritik zusammenrückten.

Selbst Jeff ergriff jetzt Partei: »Ich weiß nicht, Kathryn. Das kann auch einfach daran liegen, dass Sie bisher noch nicht im Hightech-Bereich gearbeitet haben. Ich habe in früheren Firmen schon etliche Fälle von Taktieren erlebt, und ich finde nicht, dass wir da so schlecht abschneiden!«

Kathryn wollte schon antworten, entschied sich dann aber, erst einmal abzuwarten, bis auch die anderen ihre Magazine abgefeuert hätten.

Nick schoss als Erster: »Ich denke auch, wir sind da eher durchschnittlich, wenn ich vergleiche, was ich von anderen Managern so alles gehört habe. Sie müssen schließlich im Kopf behalten, dass das hier ein hart umkämpfter Markt ist!«

Mikey stieß in die gleiche Kerbe: »Das finde ich auch! Sie sind schließlich in einer schwierigen Zeit ins Unternehmen gekommen, und eine solche Bemerkung nach nur wenigen Wochen ist einfach unverantwortlich!« Auch wenn die Kollegen die Härte ihres Urteils nicht teilen mochten, wusste Mikey doch auch, dass sie ihr in dieser Situation nicht widersprechen würden, weil alle die Chance nicht aus der Hand geben wollten, gegenüber ihrer neuen Chefin wieder etwas Oberwasser zu bekommen.

Kathryn wartete ab, bis keine weiteren Kommentare mehr kamen, dann antwortete sie: »Zunächst einmal tut es mir leid, wenn meine Bemerkung etwas flapsig geklungen hat. Sie haben auch recht, dass ich noch nicht viel in der Hightech-Branche gearbeitet habe, daher könnte mein Vergleichsmaßstab hier ein wenig täuschen.« Sie ließ die teilweise Entschuldigung erst einmal wirken, bevor sie fortfuhr, und dabei achtete sie darauf, dass sie ihren nächsten Satz nicht etwa mit einem *Aber* begann: »Und ich möchte nicht etwa als herablassend erscheinen, denn das würde uns ganz und gar nicht weiterhelfen.«

Kathryn hatte das Gefühl, dass einige der Teammitglieder – Jane, Carlos und Jeff – ihre Aussage als so aufrichtig erkannten, wie sie gemeint war.

Sie fuhr fort: »Gleichzeitig möchte ich aber auch nicht die sehr gefährliche Situation beschönigen, in der wir uns befinden. Wir haben große Probleme, und ich habe genug von dieser Gruppe gesehen, um zu wissen, dass das Taktieren hier gut gedeiht!« Kathryn war den Bedenken ihrer Leute zwar nett entgegengekommen, machte aber nicht etwa einen Rückzieher: »Und offen gestanden wäre es mir auch lieber, wenn ich dieses Problem übertrieben statt untertrieben hätte. Aber nur für das Wohl des Teams, nicht zu meinem eigenen Vergnügen!«

Infolge ihres konsequenten Verhaltens an den vergangenen anderthalb Tagen und der Selbstsicherheit, mit der Kathryn ihre Aussage machte, schien der Großteil ihres Stabs überzeugt, dass sie hier aufrichtig war.

Nick runzelte die Stirn, aber Kathryn konnte nicht erkennen, ob er verärgert war oder verwirrt. Es war Verwirrung: »Vielleicht sollten Sie uns erst einmal genau erklären, was Sie unter Taktieren überhaupt verstehen!«

Kathryn überlegte nur einen kurzen Moment, dann antwortete sie, als zitiere sie auswendig aus einem Lehrbuch: »Taktieren liegt vor, wenn Personen ihre Worte und Handlungen mit dem Ziel auswählen, dass die Leute möglichst wunschgemäß reagieren sollen, nicht danach, was sie wirklich denken.«

Es war still im Raum.

Martin, ernsthaft wie immer, durchbrach die gespannte Stille: »O. K., dann wird hier definitiv taktiert.« Obwohl er das gar nicht lustig gemeint hatte, mussten Carlos und Jane laut lachen, und Jeff nickte lächelnd vor sich hin.

So zwingend ihre Argumente auch gewesen waren, Kathryn konnte doch sehen, dass einige Gruppenmitglieder immer noch überlegten, ob sie ihre Ideen nun begrüßen oder attackieren sollten. Umgehend wurde klar, dass als Nächstes eine Attacke folgen sollte.

Attacke

Zu Kathryns Überraschung war es ausgerechnet JR, der sie herausforderte, und zwar nicht auf besonders nette Weise: »Sorry, aber Sie haben jetzt nicht etwa vor, uns hier drei Wochen warten zu lassen, bis wir erfahren, was die restlichen Dysfunktionen sind, oder? Können Sie uns nicht vielleicht einfach sagen, welche das sind, damit wir sehen, was falsch läuft, und dann ist gut?«

Vom reinen Wortlaut her war die Bemerkung harmlos. Sie hätte sogar ein Kompliment sein können, wäre sie im Geist reiner Neugier ausgesprochen worden. Aber in diesem Moment und in dem Ton, in dem sie ausgesprochen wurde, und angesichts der sonst so umgänglichen Natur des Fragestellers, war sie denn doch die heftigste Bemerkung des ganzen bisherigen Workshops.

Wäre Kathryn als Managerin weniger selbstsicher gewesen, dann wäre sie von der Schroffheit dieser Bemerkung wohl erschüttert worden. Und einen Moment lang wollte sie fast Enttäuschung darüber zulassen, dass die Atmosphäre des guten Willens, die sie hier erzeugt zu haben glaubte, sich so schnell in Luft aufgelöst haben sollte. Aber dann erkannte sie, dass dies eigentlich genau das war, was sie brauchte, um in dieser Gruppe echte Veränderungen auszulösen: ernsthaften Widerstand.

So gern sie auch bei ihrem Plan geblieben wäre, ihr einfaches Modell Schritt für Schritt zu enthüllen, griff Kathryn jetzt JRs Empfehlung auf: »Kein Problem. Dann gehen wir die anderen drei Dysfunktionen mal eben durch.«

Präsentation

Kathryn ging zur weißen Tafel. Aber bevor sie nun das zweite Kästchen von unten ausfüllte, stellte sie der Gruppe eine Frage: »Warum, glauben Sie, ist Vertrauen so wichtig? Was ist der wesentliche Nachteil für eine Gruppe, die sich nicht vertraut?«

Nachdem einige Sekunden Stille geherrscht hatte, versuchte Jane Kathryn weiterzuhelfen: »Probleme mit der Einsatzmoral. Ineffizienz.«

»Das ist mir jetzt ein bisschen zu allgemein. Ich suche nach einem ganz spezifischen Grund, warum Vertrauen notwendig ist.«

Niemandem schien eine Antwort einzufallen, daher lieferte Kathryn sie rasch selber. Direkt über *Fehlendes Vertrauen* schrieb sie *Scheu vor Konflikten* an die Tafel.

»Wenn wir einander nicht vertrauen, dann tragen wir auch Konflikte nicht offen und konstruktiv miteinander aus. Sondern wahren lieber eine Art künstlicher Harmonie.«

Nick widersprach: »Aber wir haben hier doch ziemlich viele Konflikte. Und eher wenig Harmonie, wie ich noch hinzufügen könnte.«

Kathryn schüttelte den Kopf: »Nein. Was Sie hier haben, sind Spannungen. Aber es gibt kaum je eine konstruktive Auseinandersetzung. Passiv-agressive, sarkastische Bemerkungen sind nicht die Art von Konflikt, die ich meine.«

Carlos schaltete sich ein: »Aber warum ist denn Harmonie ein Problem?«

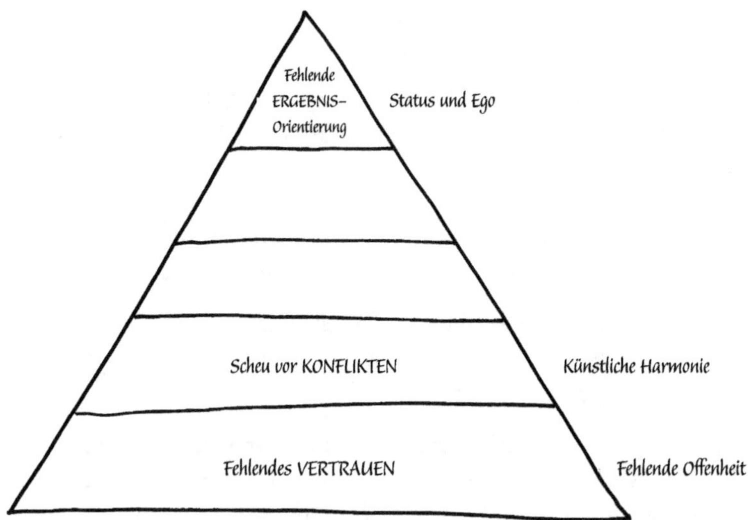

»Das Problem ist der Mangel an Konflikten. Harmonie selbst ist gut, würde ich sagen, sofern sie durch das konstante Bewältigen von Problemen und die offene Austragung von Konflikten entsteht. Kommt sie aber nur dadurch zustande, dass die Leute mit ihrer Meinung und ihren wahren Besorgnissen hinterm Berg halten, dann ist sie schlecht. Eine solche Art falscher Harmonie würde ich jederzeit gegen die Bereitschaft eines Teams eintauschen, über Probleme konstruktiv miteinander zu streiten und dann ohne Kollateralschaden wieder davonzuziehen.«

Carlos war mit der Erklärung zufrieden.

Kathryn versuchte ihr Glück weiter: »Nachdem ich ein paar Ihrer Stabs-Konferenzen beobachtet habe, meine ich mit gewisser Sicherheit behaupten zu können, dass Sie nicht besonders gut streiten. Manchmal kommt Ihre Frustration zwar wenigstens in einer subtilen Bemerkung zum Vorschein, aber meist bleibt sie doch unter der Decke. Habe ich recht?«

Statt ihre halb rhetorische Frage zu beantworten und Kathryn wenigstens einen kleinen Sieg zu gönnen, stichelte Martin: »Na gut, dann fangen wir eben an zu streiten! Ich sehe aber nicht, wie uns das effektiver machen soll. Wenn überhaupt, dann kostet es doch nur mehr Zeit!«

Mikey und JR nickten. Kathryn wollte ihnen gerade Kontra geben, da kamen ihr Jane und Carlos zuvor.

Jane sprach als Erste: »Glauben Sie nicht, wir verschwenden viel mehr Zeit dadurch, dass wir Dinge nie ausdiskutieren? Wie lange haben wir denn hier zum Beispiel über IT-Outsourcing gesprochen? Ich glaube, das Thema kommt auf jeder Konferenz wieder hoch; die eine Hälfte ist dafür, die andere ist dagegen, und passieren tut dann gar nichts, weil keiner dem anderen auf die Nerven gehen möchte.«

Und mit einer Sicherheit, die er sonst selten an den Tag legte, ergänzte Carlos: »Und das ist ironischerweise dann letztlich genau das, was uns wirklich auf die Nerven geht!«

Martin wirkte allmählich immer überzeugter und wollte nun auch den Rest des Modells kennenlernen: »Gut! Was ist die nächste?« Das war so ziemlich das höchste Maß an Anerkennung, das Kathryn von Martin widerfahren konnte.

Kathryn ging wieder zu der weißen Tafel: »Die nächste Dysfunktion eines Teams ist *Fehlendes Engagement* und die mangelnde Bereitschaft, sich zu binden und Entscheidungen zu akzeptieren.« Sie schrieb die Dysfunktion über die vorherige. »Und der Beleg dafür ist *Zweideutigkeit*«, was sie daneben schrieb.

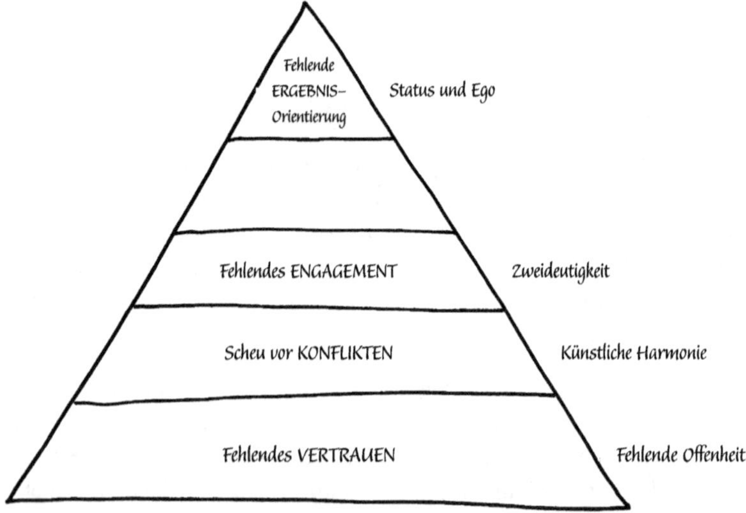

Jetzt war Nick wieder bei der Sache: »Engagement? Sich binden? Damit hat mich meine Frau auch immer genervt, bevor wir geheiratet haben!« Die Gruppe grinste über den müden Scherz.

Kathryn wusste, wie sie zu reagieren hatte: »Hier geht es darum, sich für einen Plan zu engagieren, sich an eine Entscheidung zu binden, alle dazu zu bringen, etwas ganz klar zu akzeptieren und ihm zuzustimmen. Und darum sind Konflikte auch so wichtig!«

Klug wie er war, scheute sich Martin nicht, einzugestehen, dass er hier verwirrt war: »Da komme ich jetzt aber nicht mit!«

Kathryn erklärte: »Es ist ganz einfach: Wenn die Leute ihre Meinung nicht loswerden können und nicht das Gefühl haben, dass man ihnen zuhört, dann kommen sie auch nicht mit an Bord.«

»Schon, wenn man sie dazu zwingt!«, entgegnete Nick. »Ich wette, Ihr Mann lässt seine Spieler auch nicht darüber abstimmen, ob sie jetzt Sprints trainieren wollen oder nicht!«

Diese Art von Widerspruch gefiel Kathryn: »Nein, tut er natürlich nicht! Aber er würde sie durchaus erläutern lassen, warum sie der Meinung sind, dass das jetzt nicht angebracht wäre. Und wenn er dann nicht ihrer Meinung ist, und das wäre er hier ziemlich sicher nicht, dann würde er ihnen anschließend erklären warum und sie dann rennen lassen.«

»Also geht's hier nicht um Konsens.« Janes Feststellung war eher eine Frage.

»Um Himmels willen nein!«, betonte Kathryn und klang jetzt wieder wie eine Lehrerin. »Konsens ist ganz furchtbar! Also ich meine, wenn sich in einer Sache alle einig sind und der Konsens spontan und natürlich entsteht, dann ist das sicherlich eine prima Sache. Aber so läuft es ja normalerweise nicht, und dann wird Konsens nur zum Versuch, niemandem wehzutun.«

»Und damit tut man dann letztlich allen weh.« Jeff machte seine Bemerkung mit gequältem Gesichtsausdruck, als durchlebe er eine unangenehme Erfahrung erneut.

»Genau! Der springende Punkt ist hier, dass die meisten vernünftigen Menschen in einer Diskussion gar nicht unbedingt ihre Ansicht durchsetzen müssen. Es geht nur darum, dass man sie anhören soll und sie das Gefühl haben wollen, man hat ihre Meinung erörtert und berücksichtigt.«

»Und wo kommt dann das fehlende Engagement ins Spiel?« Nick wollte es jetzt wissen.

»Na ja, manche Teams werden regelrecht gelähmt durch ihr Bedürfnis nach vollkommener Einigkeit und durch ihre Unfähigkeit, über das Stadium der Debatte hinauszukommen.«

JR warf etwas ein: »Erst meckern, dann mitziehen.«

»Wie bitte?« Kathryn bat um Erklärung.

»Ja, in meinem letzten Unternehmen hieß das immer ›Erst meckern, dann mitziehen‹. Man kann über eine Sache streiten und anderer Meinung sein, anschließend aber dennoch mitziehen, als wären alle von Anfang an für diese Entscheidung gewesen.«

Jetzt ging Jeff ein Licht auf: »O. K., ich sehe jetzt, wie Konflikte hier hineinspielen. Selbst wenn die Leute generell bereit sind, sich zu engagieren, werden sie das nicht tun, weil ...«

Carlos fiel ein: »... weil sie erst ihre eigene Meinung einbringen müssen, bevor sie etwas wirklich zustimmen können.«

Der Raum schien zu verstehen.

»Und was ist die letzte Dysfunktion?« Alle waren überrascht, dass diese Frage ausgerechnet von Mikey kam und sie dabei auch noch regelrecht interessiert wirkte.

Kathryn ging zur Tafel, um nun auch noch das letzte leere Kästchen auszufüllen. Aber bevor sie dazu kam, hatte Martin schon seinen Laptop aufgeklappt und begonnen zu tippen. Alle erstarrten. Kathryn stoppte und schaute zu ihrem Cheftechniker hinüber, der aufblickte und völlig ratlos wirkte, woher denn jetzt wieder die Spannung im Raum kam.

Dann dämmerte es ihm plötzlich: »Oh! Nein, nein! Ich mache mir nur, äh, also ich mache mir jetzt wirklich nur Notizen dazu! Schauen Sie!« Er versuchte allen im Raum das Dokument zu zeigen, das er am Bildschirm zu erstellen begonnen hatte.

Alle waren amüsiert, wie besorgt Martin war, sein Verhalten zu erklären und die Team-Regeln nicht zu verletzen. Kathryn lachte, weil sie sich freute, wie begeistert ihr Chefingenieur mit einem Mal bei der Sache war: »Ist in Ordnung. Wir glauben Ihnen. Ich lasse es noch einmal durchgehen.«

Kathryn blickte auf die Uhr und stellte fest, dass die Gruppe schon ein paar Stunden keine Pause mehr gehabt hatte: »Es ist schon spät. Machen wir erst mal eine halbe Stunde Pause. Wir führen das später zu Ende.«

Auch wenn sie es wahrscheinlich abgestritten hätten, wenn man sie direkt danach gefragt hätte, meinte Kathryn nun doch eine gewisse Enttäuschung auf den Gesichtern der Anwesenden zu erkennen. JR hatte das Format, es zuzugeben: »Machen wir doch die letzte gerade auch noch.« Und fügte hinzu: »Sonst kann sich hier doch keiner richtig erholen, wenn wir das nicht auch noch erfahren.«

Und wenn dieser Einwurf auch sarkastisch hätte klingen können, so war unmissverständlich doch auch eine gewisse Anerkennung hinter dem Humor verborgen. Ob er hier nun sein Einsehen zum Ausdruck bringen wollte, dass seine vorherige Bemerkung unhöflich gewesen war, oder ob er anerkannte, dass Sinn machte, was Kathryn hier erzählte, wichtig war vor allem der Ton, in dem er seinen Beitrag vorbrachte.

Kathryn fügte sich gern. Sie ging ein letztes Mal zur Tafel und schrieb nun *Scheu vor Verantwortung* daran.

Sie erklärte: »Nachdem wir Klarheit und Zustimmung erzielt haben, müssen wir für das Vereinbarte nun auch alle in die Verantwortung nehmen und für hohe Leistungs- und Verhaltensstandards sorgen. Und so einfach das auch klingen mag, die meisten Manager tun so etwas nicht gerne, besonders wenn es um das Verhalten eines Gleichgestellten geht, weil sie zwischenmenschliches Unbehagen gern vermeiden möchten.«

»Wie meinen Sie das genau?«, wollte Jeff wissen.

»Ich spreche hier von dem Moment, in dem Sie wissen, dass Sie einen Kollegen in einer wichtigen Sache eigentlich ermahnen müssten, sich

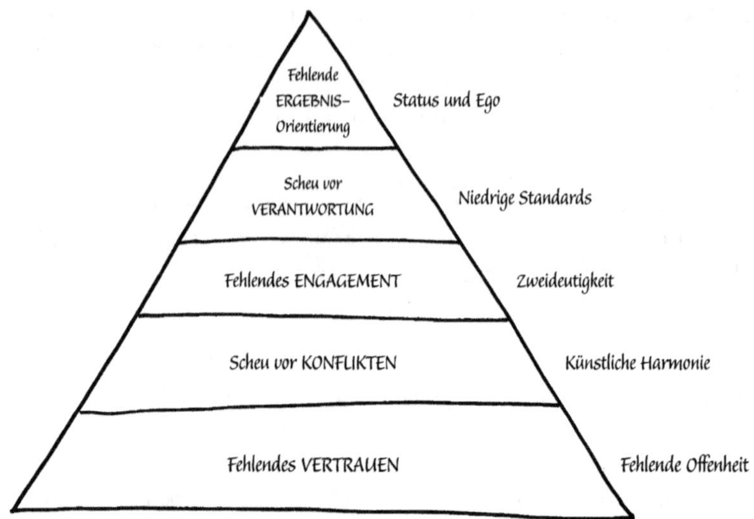

dann aber entscheiden, lieber darauf zu verzichten, weil Sie das Gefühl vermeiden möchten ...« Sie suchte nach den richtigen Worten, und Martin beendete den Satz für sie: » … das man hat, wenn man einem Kollegen in der Konferenz sagen muss, dass er sich nicht mit seinen E-Mails befassen soll.«

»Genau«, bestätigte Kathryn anerkennend.

Carlos ergänzte: »Ich hasse so etwas. Ich will niemandem sagen müssen, dass seine Standards zu niedrig sind. Lieber nehme ich es hin und vermeide so das ...« Er überlegte, wie er es ausdrücken sollte.

Jane übernahm für ihn: »... das zwischenmenschliche Unbehagen.«

Carlos nickte: »Ja, ich glaube, das ist es wirklich.«

Er dachte einen Moment nach, dann fuhr er fort: »Aber es ist eigenartig. Ich habe nicht so große Probleme, wenn ich direkten Untergebenen etwas sagen muss. Die ziehe ich dann eigentlich meist zur Verantwortung, selbst wenn es sich um heikle Angelegenheiten handelt.«

Kathryn fand diesen Hinweis bemerkenswert: »Genau! So schwierig es auch manchmal fällt, sich bei direkten Untergebenen in die Gefahrenzone zu begeben und sie mit etwas Heiklem zu konfrontieren, bei Gleichgestellten ist es noch schwieriger.«

»Warum ist das so?«, wollte Jeff wissen.

Bevor Kathryn antworten konnte, erklärte Nick: »Weil wir uns ja auf einer Ebene befinden. Wer bin ich denn, dass ich Martin erzählen könnte, wie er seinen Job zu tun hat, oder Mikey, oder Jane? Das fühlt sich doch so an, also wollte ich meine Nase in ihre Angelegenheiten stecken.«

Kathryn führte noch weiter aus: »Diese Von-Gleich-zu-Gleich-Geschichte ist mit Sicherheit eine schwierige Sache, wenn es um Team-Verantwortung geht. Da ist aber noch etwas anderes.«

Keiner schien eine Idee zu haben, und Kathryn wollte ihre Frage schon selbst beantworten, als plötzlich Mikey ein Licht aufzugehen schien und sie sagte: »Fehlende Zustimmung!«

»Wie?«, fragte Nick.

»Fehlende Zustimmung! Die Leute ziehen einander nicht zur Verantwortung, wenn sie den gemeinsamen Plan nicht klar akzeptiert haben. Dann erscheint es ihnen ohnehin sinnlos, weil sie sich sagen ›Das habe ich sowieso nie für richtig gehalten‹.«

Kathryn war geradezu schockiert über ihre unvermutete Musterschülerin. Und als ob das noch nicht reichte, ergänzte Mikey noch: »Das macht wirklich Sinn.«

Alle schauten sich an, als wollten Sie sagen: *Haben Sie auch gehört, was ich gehört habe?*

In diesem Sinne schickte Kathryn das Team in die letzte Pause des Tages.

Film noir

Ganz gleich, wie oft Kathryn schon Teams gebildet oder auf Vordermann gebracht hatte, nie konnte sie sich an das unvermeidliche Auf und Ab dabei gewöhnen. *Warum nur können wir nicht einmal in einem Schwung immer nur Fortschritte machen,* fragte sie sich.

Da Mikey und Martin jetzt anscheinend mit an Bord waren, hätte es theoretisch relativ leicht sein müssen, das Team zum Funktionieren zu bringen. Aber Kathryn wusste, dass die Wirklichkeit sich nie ganz nach der Theorie richtete; sie hatten noch ein gutes Stück Weg vor sich. Zwei Jahre, in denen das Verhalten durch Taktieren geprägt war, sind schwer zu reparieren, und eine einzelne Lektion, so spannend sie auch sein mag, kann das nicht leisten. Die mühselige Schwerstarbeit stand ihnen erst noch bevor.

Da bis zum Ende des ersten externen Workshops jetzt nur noch ein paar Stunden blieben, war Kathryn versucht, die Teilnehmer in dieser relativ guten Stimmung vorzeitig nach Hause und an die Arbeit zu schicken. Aber das würde andererseits auch die Verschwendung zweier entscheidender Stunden bedeuten, sagte sie sich. Sie musste hier so viele Fortschritte wie nur möglich erzielen, und zwar schnell, damit der Vorstand nicht etwa in Versuchung geriet, ihre Bemühungen abzubrechen.

Als die Gruppe aus der Pause zurückkehrte, hatte Kathryn sich entschieden, ein relativ unterhaltsames Diskussionsthema anzuschneiden, das mit Konflikten zu tun hatte und, wie sie hoffte, das Interesse der Gruppe so spät am Tage noch wachhalten könnte.

»Lassen Sie uns noch ein bisschen über Konflikte sprechen.«

Sie spürte, dass die Stimmung im Saal ein wenig sank, angesichts der Aussicht auf ein so heikles Thema. Kathryn dagegen freute sich regelrecht auf diesen Abschnitt.

»Kann mir einer sagen, was die typischste Arena oder Umgebung für Konflikte ist?«

Nach einer Pause unternahm Nick einen Versuch: »Meetings?«

»Jawohl. Wenn wir nicht lernen, in Meetings beziehungsweise auf Konferenzen konstruktive Auseinandersetzungen zu Ideen zu haben, dann können wir einpacken.«

Jane lächelte.

»Das ist kein Witz, wenn ich das sage. Unsere Fähigkeit, leidenschaftliche, ungefilterte Debatten darüber zu führen, was wir tun müssen, um Erfolg zu haben, ist für unsere Zukunft genauso entscheidend wie die Entwicklung neuer Produkte oder der Abschluss neuer Partnerschaften.« Es war jetzt später Nachmittag, und Kathryn spürte, dass ihr Team ins Suppenkoma abzudriften drohte. Ihre Worte drangen nicht mehr zu ihnen durch, und sie würde das Thema sehr interessant gestalten müssen, um sie noch bei der Stange zu halten.

»Wer von Ihnen geht lieber in eine Konferenz als ins Kino?«

Kein Handzeichen.

»Warum nicht?«

Nach einer Weile merkte Jeff, dass die Frage gar nicht rhetorisch gemeint war: »Weil Filme interessanter sind. Sogar schlechte.«

Seine Kollegen grinsten.

Kathryn lächelte: »Stimmt. Aber wenn Sie mal darüber nachdenken, dann sollten Konferenzen eigentlich mindestens genauso spannend sein wie Filme. Mein Sohn Will war an der Filmakademie, und von ihm habe ich erfahren, dass Konferenzen und Filme einiges miteinander gemeinsam haben.«

Die Gruppe wirkte zwar eher skeptisch als fasziniert, aber wenigstens hatte Kathryn für den Moment ihre Aufmerksamkeit: »Sehen Sie es einmal so: Ein Film dauert im Durchschnitt anderthalb bis zwei Stunden. Eine Konferenz auch.«

Höfliches Kopfnicken.

»Konferenzen sind aber interaktiv, Filme nicht. Wir können dem Schauspieler auf der Leinwand nicht die Warnung zuschreien ›Geh nicht in dieses Haus, du Idiot!‹«

Die meisten lachten. *Fangen die tatsächlich noch an, mich zu mögen?*, fragte sich Kathryn in einem ganz untypischen Moment der Unsicherheit.

»Und noch wichtiger: Filme haben keine realen Auswirkungen auf unser Leben. Sie verlangen nicht von uns, dass wir auf bestimmte Weise handeln, je nachdem wie die Geschichte ausgeht. Meetings dagegen sind sowohl interaktiv als auch relevant. Wir können uns dort aussprechen, und das Ergebnis einer Diskussion kann ganz konkrete Auswirkungen auf unser Leben haben. Warum verabscheuen wir Meetings also?«

Keiner sagte etwas, daher drängte Kathryn: »Also bitte, warum mögen wir sie nicht?«

»Weil sie langweilig sind.« Mikey schien ihre Antwort mehr zu genießen als sie eigentlich sollte.

»Richtig! Und wenn wir wissen wollen, warum sie langweilig sind, dann müssen wir sie nur mit Filmen vergleichen.«

Jetzt schien das Interesse der Gruppe allmählich wieder zu erwachen.

Kathryn fuhr fort: »Egal ob Actionfilm, Drama, Komödie oder künstlerisch anspruchsvoller französischer Film, jeder sehenswerte Film braucht eine ganz bestimmte wichtige Zutat. Was könnte das wohl sein?«

Martin meinte trocken: »Na, nachdem wir hier über Konflikte sprechen, wird es das ja wohl sein.«

»Tja, da habe ich wohl einen kleinen Wink gegeben, was? Genau, jeder gute Film enthält einen Konflikt! Ohne einen Konflikt wäre uns schlicht egal, was mit den Charakteren passiert.«

Kathryn machte eine dramatische Pause, bevor sie ihre nächste Aussage tätigte: »Und ich versichere Ihnen, von jetzt an wird jede unserer Stabskonferenzen mit Konflikten beladen sein! Und langweilig werden sie auch nicht sein. Und wenn es nichts zum Debattieren gibt, dann werden wir auch keine Konferenz abhalten.«

Diese Aussage schien dem Team zu gefallen, und Kathryn wollte ihren Worten sogleich Taten folgen lassen: »Fangen wir doch gleich einmal damit an!« Sie blickte auf ihre Uhr. »Wir haben jetzt zwei Stunden, bis wir hier auseinandergehen, und ich denke, wir halten einfach mal unsere erste substanzielle Entscheidungsfindungskonferenz als Gruppe ab.«

Nick erhob mit ernster Miene Einspruch: »Sorry Kathryn, aber ich fürchte, das geht nicht.« Überrascht warteten alle auf eine Begründung. »Mir hat keiner eine Tagesordnung zukommen lassen.«

Über diese gutmütige Veräppelung des ehemaligen Geschäftsführers musste sogar Jeff selber lachen.

Anwendung

Kathryn verschwendete keine Zeit: »O. K., also Folgendes: Bevor wir diese Konferenz verlassen, werden wir festgelegt haben, was ich unser übergeordnetes Ziel für den Rest des Jahres nennen möchte. Es gibt keinen Grund, warum wir das nicht gleich hier und jetzt erledigen könnten. Ich bitte um Vorschläge!«

»Wie meinen Sie das?«, fragte Jane. »So etwas wie ein Thema?«

»Ja, genau. Die Frage, auf die wir hier eine Antwort finden müssen, lautet: Wenn wir zwischen jetzt und Jahresende irgendetwas erreichen wollen, was sollte das dann sein?«

Nick und JR antworteten im Gleichklang: »Marktanteil!«

Kopfnicken am Tisch. Außer bei Martin und Jane. Kathryn sprach die beiden an:

»Sie sehen beide nicht überzeugt aus. Was ist Ihre Meinung?«

Martin erklärte: »Ich meine, es muss um Produktverbesserung gehen.«

Und Jane ergänzte: »Und ich bin mir nicht so sicher, ob nicht eigentlich Kosteneindämmung unsere oberste Priorität sein sollte.«

Kathryn widerstand der Versuchung, selbst etwas zu den Vorschlägen zu sagen: »Ich bitte um Kommentare!«

JR meldete sich zu Wort: »O. K., ich denke, unsere Technik ist so gut wie die unserer beiden Hauptkonkurrenten oder sogar noch besser. Und trotzdem haben die im Moment mehr Zug drin als wir. Wenn wir also nicht bald irgendetwas schaffen, um in puncto Marktanteil nicht noch weiter zurückzufallen, dann spielt es keine Rolle mehr, wie gut unsere Produkte sind.«

Martin runzelte kaum merklich die Stirn: »Wenn das so ist, dann stellen Sie sich aber mal vor, wie es wäre, wenn wir dann auch noch in puncto Produktqualität in Rückstand gerieten!«

Carlos, immer der Vermittler, schaltete sich ein: »Können wir nicht auch mehr als ein übergeordnetes Ziel festlegen?«

Kathryn schüttelte den Kopf: »Wenn alles wichtig ist, ist gar nichts mehr wichtig.« Sie verzichtete auf weitere Erläuterungen, weil sie wollte, dass die Gruppe sich das hier selbst erarbeitete.

Jane blieb beharrlich: »Kann mir jemand sagen, warum nicht Kosteneindämmung unser Ziel sein soll?«

Mikey war schnell bei der Hand mit ihrer Antwort: »Wenn wir es nicht schaffen, das Geld erst mal zu verdienen, dann nutzt es uns auch gar nichts, wenn wir darauf achten, es nicht auszugeben!« So ätzend Mikeys Tonfall auch war, so unumstößlich war auch die Wahrheit ihrer Aussage. Selbst Jane nickte zum Zeichen ihres Einverständnisses.

Kathryn gab einen kurzen Kommentar ab: »Das ist hier die produktivste Auseinandersetzung, die ich je gehört habe, seit ich hier bin! Machen Sie weiter!«

Das gab jetzt Jeff den Mut, seine Meinung abzugeben. Dabei duckte er sich fast, als wollte er das Gespräch nicht unnötig in die Länge ziehen: »Ich weiß nicht, ob Marktanteil in unserer momentanen Situation wirklich der richtige Maßstab ist. Wir wissen doch gar nicht, wie groß der Markt überhaupt ist und wohin er steuert.« Er machte eine Pause, um zu überlegen, wie er fortfahren sollte. »Ich glaube, wir brauchen erst mal ein paar mehr gute Kunden! Ob wir nun 20 mehr oder 20 weniger als die Konkurrenz haben, erscheint mir da erst mal gar nicht so wichtig.«

Mikey schaltete sich ein: »Aber das ist doch dasselbe wie Marktanteil!«

Jeff antwortete, gar nicht defensiv: »Ich glaube nicht!«

Mikey verdrehte die Augen.

Nick wollte einen Zusammenstoß mit Mikey wie am Vortag vermeiden: »Hört mal, Leute, ob wir das nun Marktanteil nennen oder Kunden, das spielt doch wohl keine Rolle. Wichtig ist doch nur, dass wir verkaufen!«

Jetzt sprach Kathryn: »Ich glaube schon, dass das eine Rolle spielt. Was meinen Sie, JR?«

»Ich glaube, Jeff hat Recht. Wenn wir genügend solide Kunden finden, also solche, die uns auch als aktive Referenz dienen können, dann wäre das gut. Mir ist im Moment offen gesagt egal, was die Konkurrenz macht. Das lenkt nur ab – zumindest bis es bei uns rundläuft und der Markt Gestalt annimmt.«

Jetzt wurde aber Martin ärgerlich: »Hört mal, das ist doch genau dasselbe Gespräch, das wir immer auf unseren Konferenzen führen! Wenn es nicht Marktanteil gegen Umsatz ist, dann ist es halt Kundenbindung gegen Kundenzufriedenheit. Mir ist das alles viel zu akademisch!«

Kathryn zwang sich dazu, mit ihrer Reaktion erst ein paar Momente zu warten, damit die anderen Martins Kommentar verdauen konnten. Dann fragte sie: »Und wie enden diese Diskussionen für gewöhnlich?«

Martin zuckte die Schultern: »Dass uns die Zeit davongelaufen ist, würde ich mal sagen.«

»Gut, dann lassen Sie uns diese Diskussion jetzt hier mal innerhalb der nächsten fünf Minuten zu Ende führen. Also, glaubt hier jemand, dass die Entwicklung der nächsten neun Monate irgendetwas mit Marktanteil, Kunden, Umsatz und so weiter zu tun hat? Sollte jemand der Meinung sein, dass wir da auf dem falschen Dampfer sind, dann sollte er oder sie das jetzt sagen, und zwar laut und deutlich!«

Alle blickten sich an und zuckten die Schultern, als wollten sie sagen: *Also mir fällt da jedenfalls nichts Besseres ein.*

»Also gut. Dann kommen wir jetzt zur Entscheidung, um was es genau gehen soll. Ich möchte erst mal jemanden hören, der leidenschaftlich dafür plädiert, dass Umsatz die richtige Antwort ist. JR, wie wär's mit Ihnen?«

»Tja, man könnte natürlich sagen, dass Umsatz das richtige Ziel wäre, weil wir die Liquidität brauchen. Aber ehrlich gesagt finde ich das in unserer augenblicklichen Situation weit weniger entscheidend, als der Welt zu zeigen, dass es da ein paar Kunden gibt, die sich für unsere Produkte interessieren. Umsatz ist nicht so entscheidend, wie Verträge zu schließen und neue Kunden zu gewinnen.« Er hatte die Antwort Umsatz soeben in Grund und Boden geredet. »Leuchtet das ein?«

»Mir leuchtet es voll und ganz ein!« Kathryn drängte auf Klarheit: »Also: Höre ich hier niemanden sagen, dass Umsatz unser Hauptziel sein sollte?«

Jane blinzelte und äußerte sich dann: »Soll das jetzt heißen, dass wir kein Umsatzziel brauchen?«

»Nein, wir werden definitiv auch ein Umsatzziel haben. Es ist nur so, dass Umsatz im Augenblick für uns nicht der ultimative Maßstab für Erfolg ist. Das haben wir jetzt eingeengt auf Marktanteil und Neukunden. Sagt mir jetzt jemand, warum Marktanteil für uns die richtige Antwort wäre? Mikey?«

»Marktanteil ist, wonach Analysten und Presse Erfolg definieren. So einfach ist das!«

Martin konterte: »Nein, Mikey! Wenn ich als Unternehmensmitgründer interviewt werde, dann fragen mich die Leute immer nach unseren Hauptkunden. Die sind interessiert an Vorzeigefirmen und an Leuten, die uns empfehlen würden.«

Mikey zuckte die Schultern.

Kathryn forderte sie heraus: »Zucken Sie jetzt die Schultern, weil Sie nicht dieser Meinung sind, aber aufgeben, oder weil er ein überzeugendes Argument geliefert hat, dem Sie nichts entgegensetzen können?«

Mikey dachte einen Moment nach: »Letzteres.«

»O. K., dann hätten wir jetzt also nur noch die Neukundenakquise. Sagt mir jemand, warum das unser übergeordnetes Gruppenziel sein sollte?«

Diesmal brauchte Kathryn niemanden aufzufordern. Carlos meldete sich zu Wort:

»Weil das der Presse etwas liefert, worüber sie schreiben kann. Weil das unseren Mitarbeitern den Rücken stärkt. Weil das Martin und seinen Ingenieuren zusätzliches Feedback für die Produktentwicklung liefert. Und weil uns das Referenzen verschafft, mit denen wir im nächsten Jahr noch weitere Kunden gewinnen können.«

JR stimmte ein: »Ganz zu schweigen von Anschlussverträgen!«

»Meine Damen und Herren«, verkündete Kathryn jetzt, »wenn ich nicht in den nächsten fünf Sekunden noch etwas außerordentlich

Überzeugendes höre, das meine Meinung ändern könnte, dann, denke ich, haben wir jetzt unser übergeordnetes Ziel!«

Die Stabsmitglieder blickten sich an, als wollten sie sagen: *Haben wir uns hier wirklich mal auf etwas geeinigt?*

Aber Kathryn war noch nicht fertig. Sie wollte es noch konkreter haben: »Wie viele neue Kunden brauchen wir?«

Die Gruppe wirkte gestärkt durch den konstruktiven Charakter der Diskussion. In den nächsten 30 Minuten debattierten sie über die Zahl der Neukunden, die sie gewinnen könnten und sollten.

Jane plädierte für die höchste Zahl, gefolgt von Nick und Mikey. JR war frustriert und kämpfte vehement für die niedrigste Zahl, weil er seine Quote niedrig halten und seine Verkäufer nicht entmutigen wollte. Jeff, Carlos und Martin lagen irgendwo dazwischen.

Als der Debatte der Dampf auszugehen schien, schaltete sich Kathryn ein: »O. K., wenn jetzt nicht noch einer irgendetwas zurückgehalten hat, dann, denke ich, habe ich jetzt alle Meinungen gehört. Völlige Einigkeit werden wir wohl nicht erzielen, aber das ist auch in Ordnung, denn eine wissenschaftliche Lösung gibt es hier nicht. Ich werde die Zahl jetzt gemäß Ihrem Input festlegen, und an dieser Zahl werden wir dann festhalten.«

Kathryn überlegte einen Moment und fuhr dann fort: »Jane, 30 neue Kunden werden wir dieses Jahr nicht mehr gewinnen, auch wenn ich weiß, dass Sie diese Umsätze gern in Ihren Büchern hätten. Und JR, ich kann verstehen, dass Sie Ihre Leute bei Laune halten wollen, aber zehn ist nicht genug. Unsere Konkurrenten schaffen mehr als das Doppelte, und die Analysten werden uns zerreißen, wenn wir nur bei zehn landen.«

JR schien ihrer Logik keinen Widerstand entgegensetzen zu wollen.

Kathryn fuhr fort: »Ich denke, wenn wir 18 neue Kunden gewinnen können, von denen mindestens zehn bereit sind, uns als aktive Referenzen zu dienen, dann lägen wir ganz gut.«

Sie machte eine Pause, um Kommentare zuzulassen. Als keine kamen, verkündete sie: »Gut! Dann werden wir also am 31. Dezember 18 neue Kunden haben!«

Keiner konnte bestreiten, dass das Team hier binnen 20 Minuten größere Fortschritte gemacht hatte als sonst in den Konferenzen eines ganzen Monats. In der nächsten Stunde befassten sie sich dann genauer mit dem Thema neue Kunden und überlegten, was jeder Einzelne, von Marketing über Finanzen bis Technik, dazu beitragen musste, damit 18 neue Kunden gewonnen werden konnten.

Da es jetzt nur noch 15 Minuten bis zum offiziellen Ende des Workshops waren, beschloss Kathryn, hier Schluss zu machen: »O. K., dann soll's das gewesen sein! Wir halten nächste Woche eine Stabskonferenz ab, auf der wir dann bei diesem Thema und anderen wichtigen Problemen mehr in die Tiefe gehen können.«

Die Gruppe wirkte erleichtert, dass es nun vorbei war. Kathryn stellte nur noch eine Frage: »Möchte noch jemand irgendwelche Kommentare, Fragen oder Sorgen loswerden, bevor wir auseinandergehen?«

Keiner wollte jetzt noch ein Thema anschneiden, das den Aufbruch hinauszögern würde, aber eine Bemerkung wollte Nick doch noch loswerden: »Ich muss sagen, dass wir an diesen zwei Tagen nach meinem Eindruck weit mehr Fortschritte gemacht haben, als ich je gedacht hätte.«

Jane und Carlos nickten zustimmend. Mikey verdrehte zu aller Überraschung nicht die Augen.

Kathryn war sich nicht ganz sicher, ob Nick mit diesem Kommentar nur Punkte bei ihr machen wollte oder ob ihm tatsächlich gefallen hatte, was hier stattgefunden hatte. Sie beschloss, im Zweifel zu seinen Gunsten zu urteilen, und nahm es als verdecktes Kompliment.

Und dann meldete sich JR zu Wort: »Ich muss Nick zustimmen. Wir haben hier eine Menge erreicht, und dass wir nun Klarheit über unsere Hauptzielrichtung haben, ist wirklich sehr hilfreich.«

Kathryn hatte das Gefühl, dass gleich noch ein Aber kommen würde, und sie hatte Recht.

JR fuhr fort: »Ich frage mich nur, ob wir jetzt wirklich weitermachen müssen mit diesen externen Workshops. Wir haben doch eine ganze Menge erreicht, und wir werden in den nächsten Monaten eine Menge Arbeit haben, um diese Geschäftsabschlüsse zu erzielen. Vielleicht könnten wir ja auch erst mal abwarten, wie die Dinge laufen ...«

Er führte seinen Satz nicht zu Ende, sondern ließ ihn in der Schwebe. Martin, Mikey und Nick nickten vorsichtig zustimmend.

Das Gefühl, etwas erreicht zu haben, das Kathryn erst vor wenigen Minuten verspürt hatte, war nun merklich gemindert. So gern sie JRs Vorstoß auch ein schnelles und heftiges Ende bereitet hätte, wartete Kathryn doch erst einmal ab, ob vielleicht jemand anderes das für sie tun würde. Gerade als sie dachte, dass ihr wohl niemand helfen werde, meldete sich Jeff zu Wort und zeigte, dass er sich offenbar doch einiges von Kathryns Ideen zu Herzen genommen hatte:

»Ich muss sagen, dass ich es für eine schlechte Idee hielte, unsere nächste Workshop-Sitzung in zwei Wochen zu streichen. Ich fürchte, wenn wir alle erst wieder bei der Arbeit sind, dann fallen wir ganz leicht wieder in denselben Trott zurück, mit dem wir die letzten Jahre hier gekämpft haben. Und so unangenehm es für mich auch war, die letzten Tage hier zu sitzen und zu sehen, wie schlecht es mir gelungen ist, uns als Team zusammenarbeiten zu lassen, so sehe ich doch, dass wir noch ein gutes Stück Weg vor uns haben.«

Jane und Carlos nickten zustimmend.

Kathryn nutzte die Gelegenheit, ihr Team darauf vorzubereiten, was noch kommen sollte. Sie adressierte ihre Worte zunächst an JR und Nick: »Ich weiß Ihren Ehrgeiz zu schätzen, so viel wie möglich Ihrer Zeit dafür einzusetzen, neue Abschlüsse zu tätigen.« Das war zwar ein wenig unaufrichtig, aber sie wollte sie auch nicht zu heftig angehen, jedenfalls noch nicht. »Aber ich möchte Sie auch daran erinnern, was ich gestern zu Beginn unserer Sitzung gesagt habe: Wir haben mehr Geld, bessere Technik und talentiertere und erfahrenere Mitarbeiter als unsere Konkurrenz, und dennoch liegen wir hinten. Was uns fehlt, ist Teamwork, und ich kann Ihnen versprechen, dass für mich als Geschäftsführerin nichts höhere Priorität hat als Sie, ich meine uns zu einer effizienter zusammenarbeitenden Gruppe zu machen.«

Mikey, Martin und Nick schienen jetzt einzulenken, aber Kathryn fuhr noch fort: »Und was ich jetzt sagen werde, ist wichtiger als alles, was ich in den vergangenen zwei Tagen gesagt habe.« Sie machte eine effektvolle Pause. »Ich werde in den kommenden zwei Wochen ziemlich intolerant sein, wenn ich eine Verhaltensweise sehe, die von fehlendem Vertrauen zeugt oder einer Konzentration aufs eigene Ego. Ich werde Konflikte fördern, klares Engagement einfordern und erwarten, dass Sie einander zur Verantwortung ziehen. Ich werde schlechtes Verhalten rügen und erwarte dasselbe von Ihnen. Wir haben keine Zeit mehr zu verlieren.«

Es war still im Raum.

»O. K. Wir treffen uns in zwei Wochen wieder hier. Fahren Sie vorsichtig, und wir sehen uns dann morgen im Büro!«

Als alle zusammenpackten und zur Tür strebten, versuchte Kathryn ein gutes Gefühl darüber zu empfinden, was sie hier erreicht hatte. Sie zwang sich aber, der wahrscheinlichen Tatsache ins Auge zu sehen, dass die Dinge erst noch schlimmer werden mussten, vielleicht sogar viel schlimmer, bevor sie sich wirklich zum Besseren wendeten.

Auch die meisten Stabsmitglieder wirkten ernüchtert angesichts der Aussicht auf eine Fortsetzung dieser Quälerei. Und keinen hätte es überrascht, wenn beim nächsten externen Workshop nicht mehr alle Kollegen mit an Bord gewesen wären. Geschockt wären sie alle aber gewesen, wenn sie gewusst hätten, dass es sich bei dieser Person nicht um Mikey handelte.

Teil III
SCHWERSTARBEIT

Wieder im Hause

Wieder im Büro, war Kathryn selbst überrascht, wie schnell alle Fortschritte wieder dahin waren, die sie während des externen Workshops gemacht hatten.

Die wenigen Hoffnungsschimmer, die es gab – wie etwa, dass Carlos und Martin mit ihren Mitarbeitern ein gemeinsames Meeting zum Thema Kundenzufriedenheit abhielten –, reichten zwar aus, dass die Mitarbeiter des Hauses bereits zu tuscheln begannen, was denn hier los wäre. Aber nach Kathryns Eindruck war nicht zu bestreiten, dass die Teammitglieder voreinander und auch ihr gegenüber immer noch auf der Hut waren.

Wenn sie das tägliche Miteinander beobachtete, hatte Kathryn das Gefühl, die Gruppe hätte ihre zwei Tage in Napa komplett vergessen. Es gab nur wenig Interaktion und kaum Zeichen der Bereitschaft, sich aufeinander einzulassen. Das Team wirkte so, als sei es ihm peinlich, dass man sich so exponiert hatte, und versuche nun so zu tun, als habe das alles nie stattgefunden.

Aber Kathryn hatte so etwas schon mehrfach erlebt. Und auch wenn sie enttäuscht war, dass die Gruppe die Gedanken des externen Workshops nicht vollständig internalisiert hatte, so wusste sie doch, dass das eine ganz typische erste Reaktion war. Und sie wusste auch, dass die einzige Möglichkeit, sie wieder rückgängig zu machen, darin bestand, erneut einzugreifen und den Blutkreislauf der Gruppe erneut zum Fließen zu bringen. Sie ahnte nur nicht, dass sie eine Arterie treffen würde.

Es geschah wenige Tage nach dem externen Workshop, am Morgen des Tages, an dem Kathryn später auch ihre erste offizielle Stabskonferenz abhalten würde.

Nick hatte eine Sonderbesprechung einberufen, auf der er über eine potenzielle Übernahme diskutieren wollte. Er hatte alle interessierten Teammitglieder eingeladen, dabei aber klargemacht, dass er die Anwesenheit von Kathryn, Martin, JR und Jeff für erforderlich hielt. Jane und Carlos waren auch gekommen.

Bevor er anfing, fragte Nick: »Wo ist JR?«

»Der ist heute Morgen nicht im Büro«, sagte Kathryn. »Fangen wir an!«

Nick zuckte die Schultern und reichte dann einen Stapel Hochglanzbroschüren herum. »Das Unternehmen nennt sich Green Banana.« Die Gruppe lachte.

»Ja, ich weiß. Wie die bloß immer auf ihre Namen kommen! Na jedenfalls, das Unternehmen sitzt in Boston und ist für uns entweder eine Ergänzung oder ein potenzieller Konkurrent. Schwer zu sagen. Jedenfalls meine ich, dass wir überlegen sollten, sie zu übernehmen. Die suchen dringend Liquidität und wir haben im Moment mehr als genug davon.«

Jeff, der sich hier vor allem in der Rolle des Vorstandsmitglieds sah, stellte die erste Frage: »Und was bekommen wir dafür?«

Nick, der sich bereits sicher war, dass der Deal sinnvoll wäre, antwortete rasch: »Kunden. Mitarbeiter. Technik.«

»Wie viele Kunden?«, wollte Kathryn wissen.

»Und ist die Technik gut?«, fragte Martin, noch bevor Nick antworten konnte. »Ich habe noch nie von denen gehört.«

Nick hatte wieder schnelle Antworten parat: »In puncto Kunden haben sie etwa halb so viele wie wir.« Er schaute auf seine Notizen. »Um die 20, glaube ich. Und mit der Technik scheinen diese Kunden ja durchaus zufrieden zu sein.«

Martin schaute skeptisch.

Kathryn runzelte die Stirn: »Wie viele Mitarbeiter? Und sitzen die alle in Boston?«

»Ja. Die haben etwa 75, und alle bis auf sieben sitzen in Boston.«

Während des externen Workshops in Napa hatte Kathryn sehr darauf geachtet, dass sie sich mit ihrer Meinung zurückhielt, weil sie ja die Fertigkeiten ihrer Mitarbeiter trainieren wollte. Aber wenn es im realen Arbeitsleben um Entscheidungsfindung ging, war Selbstbeherrschung in der Hitze des Gefechts leider nicht Kathryns Stärke: »Jetzt warten Sie mal, Nick! Das hört sich für mich aber alles nicht richtig an. Damit würden wir ja die Größe der Firma mit einem Schlag um 50 Prozent erhöhen und einen kompletten Satz neuer Produkte einführen. Ich finde, wir haben auch so schon genug Herausforderungen!«

Auf Widerspruch war Nick zwar eingestellt, aber er konnte seine Ungeduld doch schlecht verbergen: »Wenn wir solche kühnen Schachzüge scheuen, dann verpassen wir die Gelegenheit, uns von unseren Mitbewerbern abzusetzen. Wir müssen doch auch mal etwas visionär sein!«

Jetzt verdrehte Martin die Augen.

Kathryn attackierte Nick: »Also zunächst einmal finde ich, Mikey müsste bei dieser Besprechung mit dabei sein. Ich würde gern hören, was sie von der Sache hält, in puncto Marktpositionierung und Strategie. Und dann ...«

Nick unterbrach: »Mikey kann doch zu dieser Diskussion gar nichts Substanzielles beitragen. Hier geht es doch nicht um Public Relations oder Werbung, hier geht es um Strategie.«

Kathryn wäre Nick am liebsten an die Gurgel gegangen für eine so unfreundliche Bemerkung über eine Abwesende, und das konnte auch jeder sehen. Aber sie beschloss, dieses Thema könne auch noch ein paar Minuten warten: »Ich war noch nicht fertig. Außerdem bin ich der Meinung, unsere gegenwärtigen Probleme rund ums Thema Taktieren würden sich durch eine Übernahme im Moment nur noch weiter verschärfen.«

Nick holte einmal tief Luft, auf eine Weise, die besagte: *Ich kann es einfach nicht glauben, mit was für Leuten ich es hier zu tun habe!* Aber bevor er noch etwas sagen konnte, was er später vielleicht bereut hätte, griff Jane ein:

»Und ich stimme zwar zu, dass unsere Liquidität im Moment besser ist als die unserer Wettbewerber, sogar besser als bei 90 Prozent der Technologie-Unternehmen hier im Silicon Valley, aber das heißt ja noch nicht, dass wir das Geld auch unbedingt ausgeben müssten. Jedenfalls nicht, wenn es keine eindeutige Verbesserung bedeutet.«

Und dann sagte Nick doch etwas, das er später bereuen sollte: »Bei allem Respekt, Kathryn: Sie mögen ja eine sehr gute Managerin sein, wenn es um Konferenzleitung und Verbesserung des Teamworks geht. Aber von unserem Geschäft haben Sie doch keinen blassen Schimmer! Solche Dinge sollten Sie wirklich lieber Jeff und mir überlassen.«

Der Raum erstarrte. Kathryn war sich sicher, dass irgendjemand Nick für seine Mini-Tirade zurechtweisen werde. Aber sie hatte sich geirrt. Martin besaß sogar die Frechheit, auf die Uhr zu schauen und zu sagen: »Hey Leute, tut mir leid, aber ich habe jetzt noch eine andere Besprechung. Sagt mir Bescheid, wenn ihr meinen Input braucht.« Und weg war er.

Kathryn war zwar darauf eingestellt, ihre Untergebenen auf teamschädliche destruktive Verhaltensweisen anzusprechen. Aber sie hatte nicht damit gerechnet, dass sich der erste Fall gleich um sie selbst drehen würde. Das machte es schwieriger. Notwendig blieb es aber trotzdem. Fragte sich nur, ob sie das unter sich ausmachen sollten oder vor der Gruppe:

»Nick, möchten Sie, dass wir dieses Gespräch direkt hier führen oder lieber unter vier Augen?«

Nick nahm sich Zeit, über die Frage nachzudenken, in vollem Bewusstsein, was auf sie beide zukam: »Ich denke mal, ich könnte jetzt auch den Macho geben und sagen ›Wenn Sie mir etwas zu sagen haben, dann tun Sie das doch‹. Aber ich glaube, wir sollten dieses Gespräch vielleicht doch unter uns führen.« Er brachte es sogar fertig zu lächeln, wenn auch nur für den Bruchteil einer Sekunde.

Kathryn bat den Rest der Gruppe, Nick und sie allein zu lassen: »Wir sehen uns dann heute Nachmittag auf der Stabskonferenz.« Alle waren froh zu gehen.

Als sie weg waren, ergriff Kathryn das Wort, allerdings selbstsicher und entspannt sowie weit beherrschter, als Nick erwartet hätte:

»O. K., zunächst einmal: Ziehen Sie bitte niemals über eine Teamkollegin her, die nicht im Raum ist. Mir ist egal, was Sie von Mikey halten. Sie ist Mitglied des Teams, und wenn Sie mit ihr Probleme haben, dann sagen Sie ihr das direkt oder sprechen Sie mit mir. Das werden Sie in Ordnung bringen müssen!«

Mit seinen ganzen 1,90 Meter wirkte Nick jetzt wie ein Siebtklässler im Büro der Direktorin. Aber nur für einen Moment. Dann hatte ihn der Frust wieder und er schoss zurück: »Hören Sie, Kathryn, ich habe hier absolut nichts zu tun! Ursprünglich war ja hier ein viel schnelleres Wachstum geplant, mit Fusionen und Übernahmen. Ich kann doch nicht einfach nur zusehen, wie dieser Laden ...«

Kathryn unterbrach ihn: »Also geht es dabei um Sie?«

Nick schien die Frage nicht verstanden zu haben: »Was?«

»Diese Übernahme. Geht es dabei darum, dass Sie etwas zu tun haben möchten?«

Nick ruderte zurück: »Nein, ich halte das für eine gute Idee! Das könnte strategische Bedeutung für uns haben.«

Kathryn saß einfach nur da und hörte zu. Wie ein Verbrecher im Verhör begann Nick jetzt auszupacken: »Aber gut, ja, es ist so: Ich bin hier total unausgelastet! Ich bin mit meiner Familie quer durchs halbe Land gezogen, in der Erwartung, dass ich den Laden vielleicht irgendwann mal übernehmen kann, und jetzt sitze ich hier einfach nur rum, langweile mich, kann nichts tun und sehe zu, wie meine Kollegen den Karren in den Dreck fahren!« Nick schaute zu Boden und schüttelte den Kopf, halb schuldbewusst, halb ungläubig angesichts seiner derzeitigen Situation.

Kathryn sprach ihn ganz ruhig auf seine Bemerkung an: »Meinen Sie, dass Sie dazu beitragen, den Karren in den Dreck zu fahren?«

Nick blickte auf: »Nein. Ich meine: Ich soll hier ja Infrastrukturwachstum, Fusionen und Übernahmen machen, und davon tun wir ja nichts, weil der Vorstand meint ...«

»Ich spreche hier vom Gesamtbild, Nick! Machen Sie das Team besser, oder tragen Sie zu seiner Dysfunktion bei?«

»Tja, was meinen denn Sie?«

»Ich glaube nicht, dass Sie das Team besser machen.« Sie machte eine Pause. »Aber Sie haben ganz klar eine Menge zu bieten, ganz gleich, ob Sie den Laden hier einmal übernehmen oder nicht.«

»Hören Sie«, versuchte Nick jetzt zu erklären, »ich wollte hier nicht sagen, dass ich Ihnen den Job wegnehmen möchte! Ich musste einfach nur mal Dampf ablassen und ...«

Kathryn hob abwehrend die Hand: »Keine Sorge! Natürlich können Sie hier ab und zu mal Dampf ablassen. Aber ich muss Ihnen einfach sagen, dass ich nicht sehe, wie Sie auf die Leute zugehen und ihnen Ihre Hilfe anbieten. Wenn überhaupt, dann ziehen Sie sie runter.«

Das wollte ihr Nick so nicht abkaufen: »Was sollte ich denn Ihrer Meinung nach tun?«

»Warum gehen Sie nicht einfach hin und sagen den Leuten, wo Sie herkommen, dass Sie sich unausgelastet fühlen, alles, was Sie mir gerade gesagt haben halt, dass Sie mit Ihrer Familie hierher gezogen sind ...«

»Aber das hat doch nichts damit zu tun, ob wir nun Green Banana kaufen oder nicht!«

Einen Moment lang mussten beide über den albernen Namen lächeln.

Dann fuhr Nick fort: »Ich meine, wenn die hier nicht begreifen, warum wir so etwas machen müssen, dann sollte ich vielleicht ...« Er zögerte.

Kathryn führte seinen Gedanken zu Ende: »Vielleicht was? Dann sollten Sie vielleicht gehen?«

Jetzt war Nick aufgebracht: »Wollen Sie das? Wenn Sie das wollen, dann mache ich das vielleicht auch!«

Kathryn saß einfach nur da und ließ die Dinge bei Nick ein wenig sacken. Dann sagte sie: »Es geht hier nicht darum, was ich will. Es geht um Sie! Sie müssen entscheiden, was Ihnen wichtiger ist: dem Team helfen vorwärtszukommen oder Ihre eigene Karriere fördern.«

Kathryn wusste selbst, dass das jetzt ziemlich hart klang, aber sie wusste, was sie tat.

»Ich verstehe nicht, warum sich das gegenseitig ausschließen müsste?«, meinte Nick.

»Tut es auch nicht. Es ist nur so, dass das eine wichtiger sein muss als das andere.«

Nick schaute zur Wand, schüttelte den Kopf und versuchte zu entscheiden, ob er jetzt wütend auf Kathryn sein sollte oder dankbar dafür, dass sie ihn zum Handeln zwang: »Wie auch immer.« Er stand auf und verließ den Raum.

Feuerwerk

Um 14 Uhr saßen alle am Tisch im großen Konferenzsaal und warteten darauf, dass die Stabskonferenz beginnt – das heißt alle mit Ausnahme von Nick und JR. Kathryn blickte auf ihre Uhr und beschloss anzufangen: »O. K., wir beginnen heute mit einem kurzen Überblick, woran jeder im Moment arbeitet, und werden dann den Großteil der Zeit darauf verwenden, die Basis für die 18 Abschlüsse zu legen, die wir bis zum Jahresende brauchen.«

Jeff wollte Kathryn gerade fragen, wo denn Nick und JR blieben, als Nick hereinkam.

»Sorry, dass ich zu spät komme!« Es gab noch zwei leere Stühle am Tisch – einen direkt neben Kathryn, der andere ihr gegenüber. Nick wählte den weiter von der Geschäftsführerin entfernten.

Angesichts dessen, was am Vormittag vorgefallen war, wollte Kathryn Nick für sein Zuspätkommen lieber nicht rügen. Die anderen im Team schienen ihre Zurückhaltung gut zu verstehen. Stattdessen legte sie mit der Konferenz los: »Bevor wir anfangen, brauche ich noch ...«

Da unterbrach Nick sie: »Ich muss was sagen!«

Alle wussten zwar, wie ungehobelt Nick sein konnte. Aber die Art, wie er Kathryn jetzt unterbrochen hatte – und das auch noch, nachdem er zu spät zu ihrer allerersten offiziellen Stabskonferenz erschienen war –, schien ihnen doch ziemlich gewagt. Erstaunlicherweise wirkte Kathryn überhaupt nicht nervös.

Nick begann: »Hört mal Leute, ich muss hier mal was loswerden.«

Keiner rührte sich. Innerlich glühten aber alle vor Spannung.

»Zunächst mal zu der Sitzung heute Morgen. Ich war da völlig neben der Spur. Ich hätte mich darum kümmern müssen, dass Mikey dabei ist. Und meine Bemerkung über sie war auch total unfair.«

Mikey war zuerst verwundert, dann verärgert, sagte aber nichts.

Nick wandte sich an sie: »Lassen Sie sich davon nicht aus der Fassung bringen, Mikey! Ich erkläre Ihnen das später. So eine große Sache ist es nun auch wieder nicht.«

Seltsamerweise wirkte Mikey durch Nicks Offenheit und Selbstsicherheit tatsächlich beruhigt.

Nick fuhr fort: »Dann zu der Geschichte mit Green Banana. So sehr ich auch finde, dass das eine Sache ist, die wir uns überlegen sollten: Mein Beharren auf diesem Deal hatte mehr damit zu tun, dass ich hier endlich mal eine Aufgabe haben will! Schauen Sie mal: Ich habe allmählich die Befürchtung, dass es ein ganz schlechter Schritt für meine Karriere gewesen sein könnte, dass ich hierher gekommen bin, und ich möchte endlich auch mal ein eigenes Projekt! Ich wüsste überhaupt nicht, was ich in meinem Lebenslauf schreiben sollte, was ich hier in den letzten 18 Monaten gemacht habe.«

Jane schaute zu Kathryn, der einzigen Person im Raum, die nicht geschockt wirkte.

Nick fuhr fort: »Aber es war an der Zeit, dass ich mich den Realitäten stelle, und ich habe eine Entscheidung getroffen.« Er machte eine kleine Pause, bevor er fortfuhr: »Ich muss einfach etwas ändern. Ich muss irgendwie eine Möglichkeit finden, wie ich einen Beitrag für dieses Team leisten kann und für dieses Unternehmen. Und dazu brauche ich auch eure Hilfe, Leute! Anderenfalls sollte ich gehen. Aber dazu bin ich noch nicht bereit.«

Kathryn hätte gern behauptet, sie habe vorher gewusst, dass Nick noch die Kurve kriegen werde. Aber wie sie ihrem Mann später gestand, war sie eigentlich davon ausgegangen, dass er gehen würde. Und obwohl sie sich damit geirrt hatte, fand sie es nun irgendwie doch aufregend, dass Nick blieb. Sie wusste auch nicht recht warum.

Im Raum war es still. Die Äußerungen waren so völlig untypisch sowohl für Nick als auch für das Team, dass keiner wusste, wie er reagieren sollte. Kathryn wollte Nick am liebsten zu seiner Offenheit gratulieren, beschloss dann aber, den Moment für sich selber wirken zu lassen. Sie wartete ab, bis alle im Team die Bedeutung der Situation verstanden hatten, und als schließlich klar war, dass keiner noch etwas hinzuzufügen hatte, brach Kathryn das Schweigen: »Ich muss etwas sagen.«

Martin war sicher, dass er jetzt eine Art Gruppenumarmung erleben würde, irgendeinen gefühlsseligen, versöhnlichen Kommentar Kathryns. Bis sie weitersprach: »JR hat gestern Abend gekündigt.«

Wenn es im Raum schon ruhig gewesen war, nachdem Nick gesprochen hatte, so herrschte jetzt Totenstille. Aber nur für ein paar lange Sekunden.

»Was?« Martin reagierte als Erster. »Wieso?«

»Das ist nicht ganz klar«, erläuterte Kathryn. »Jedenfalls nicht auf Grundlage dessen, was er mir gesagt hat. Offenbar geht er zurück zu AddSoft und wird dort wieder regionaler Bereichsleiter.« Vor ihrer nächsten Aussage zögerte Kathryn, wollte sie erst für sich behalten, kam dann aber zu dem Ergebnis, dass das nicht richtig wäre: »Außerdem hat er mir gesagt, er wolle seine Zeit nicht mehr auf externen Workshops verschwenden, um dort die persönlichen Probleme anderer Leute zu lösen.«

Wieder ein schwerer Moment. Kathryn wartete.

Mikey sprach als Erste: »O. K., ist hier sonst noch jemand der Meinung, dass dieser ganze Teambildungskram zu weit geht? Machen wir die Dinge damit nun besser oder schlechter?«

Selbst Carlos hob jetzt die Augenbrauen, als zöge er Mikeys Andeutung in Betracht. Die Dynamik im Raum war geradezu spürbar, und sie bewegte sich von Kathryn weg.

Nach den längsten drei Sekunden ihrer kurzen Karriere bei Decision Tech meldete sich Martin zu Wort: »Tja, es ist ja wahrscheinlich für niemanden hier etwas Neues, dass ich an diesem ganzen Teamgedöns keinen Spaß habe. Für mich ist das so schön, wie mit dem Fingernagel über eine Kreidetafel zu kratzen.«

Das hätte Kathryn nicht unbedingt gebraucht.

Dann redete Martin weiter: »Aber ansonsten ist das ja wohl der größte Scheiß, den ich je gehört habe! JR hatte doch nur Angst, dass er es nicht schafft, sein Zeug zu verkaufen!«

Jeff stimmte zu: »Mir hat JR vor ein paar Monaten mal bei einem Bierchen am Flughafen erzählt, dass er noch nie in der Situation war, an einen Markt verkaufen zu müssen, den es noch gar nicht gibt. Und dass er lieber einen Markennamen im Rücken hätte. Außerdem hat er erzählt, dass er noch nie einen Misserfolg erlebt habe und das auch hier nicht vorhabe.«

Jane fügte hinzu: »Außerdem konnte er es nie haben, wenn wir ihn nach seinen Verkäufen gefragt haben. Er fühlte sich dann immer unter Druck gesetzt.«

Mikey stimmte in den Kanon mit ein: »Die meisten unserer Verkäufe kamen doch sowieso von Martin und Jeff. Ich glaube, der Typ wusste nicht mal, wie ...«

Kathryn war jetzt drauf und dran einzugreifen, aber Nick kam ihr zuvor: »Nee, hört mal, Leute! Ich weiß, ich sollte zwar eigentlich der Letzte sein, der das sagt, da ich ja hinter den Kulissen immer JRs schärfster Kritiker war, aber wir sollten jetzt damit aufhören! Er ist weg, und wir müssen jetzt überlegen, wie wir weitermachen!«

Carlos meldete sich freiwillig: »Ich übernehme den Verkauf, bis wir jemand Neues gefunden haben.«

Jane verstand sich gut genug mit Carlos, dass sie ihm auch vor versammelter Mannschaft problemlos widersprechen konnte: »Wir wissen Ihr Angebot zu schätzen, Carlos, aber ich glaube, hier im Raum sitzen mindestens zwei Leute, die mehr Zeit und mehr Erfahrung im Verkauf haben als Sie!« Sie schaute zu Jeff und Nick, die nebeneinander saßen. »Ich dachte an einen von Ihnen.«

Jeff antwortete sofort: »Oh, verstehen Sie mich nicht falsch, ich würde ja alles tun, was Sie von mir wollen, aber ich habe noch nie eine Verkaufseinheit geleitet oder eine Quote erfüllen müssen oder so etwas. Ich verkaufe gern an Investoren oder meinetwegen auch an Kunden, aber nur solange ich jemanden an meiner Seite habe, der etwas von der Sache versteht.«

Jetzt äußerte Mikey ihre Meinung: »Nick, Sie haben doch bei Ihrem letzten Unternehmen Außendienstoperationen geleitet und früher auch schon mal ein Verkaufsteam geführt!«

Nick nickte.

Martin fügte hinzu: »Aber ich weiß auch noch, wie wir mit Nick die Bewerbungsgespräche geführt haben.« Martin sprach oft in der dritten Person von Leuten, die im gleichen Raum saßen. Das war gar nicht unhöflich gemeint, es war einfach nur weniger persönlich. »Da hatte er gesagt, er wolle von seinem Etikett als Außendiensttyp wegkommen. Und eine unternehmensnähere, zentralere Führungsposition übernehmen.«

Wieder nickte Nick, insgeheim beeindruckt, dass Martin etwas über ihn behalten hatte: »Ja, das stimmt. Ich hatte irgendwie das Gefühl, ich sei in die Schublade Verkauf und Außendienstoperationen eingesperrt.«

Einen Moment lang sagte keiner etwas. Dann sprach Nick weiter: »Aber ich muss natürlich auch sagen, ich war ziemlich gut im Verkauf, und es hat mir auch Spaß gemacht!«

Kathryn widerstand der Versuchung, Nick anzupreisen. Jeff aber nicht: »Sie haben doch schon eine gute Beziehung zu unserer Verkaufstruppe. Und Sie müssen zugeben, dass Sie frustriert waren, weil wir nicht mehr Abschlüsse tätigen konnten.«

Carlos scherzte: »Los Nick! Sonst nehmen die Kollegen am Ende doch noch mein Angebot an!«

Kathryn zuckte die Schultern in Nicks Richtung, um anzudeuten: *Da hat er recht.*

»In dem Falle wäre es natürlich fahrlässig von mir, wenn ich Nein sagte!«

Alle lachten, da ging plötzlich der Feueralarm los.

Jane schlug sich an die Stirn: »Ach, das habe ich ja vergessen! Heute sollte eine Feueralarmübung stattfinden. Die Feuerwehr von Half Moon Bay hat gesagt, wir müssten das jetzt zweimal im Jahr machen.«

Alle sammelten langsam ihre Sachen ein.

Martin sorgte noch für eine Schlusspointe, als er trocken bemerkte: »Gott sei Dank! Ich hatte schon das Gefühl, gleich gibt es hier noch so was wie 'ne Gruppenumarmung.«

Undichte Stellen

Ein paar Tage später begann Kathryns Laptop Probleme zu machen, und sie rief in der IT-Abteilung an, ob sich jemand die Sache mal ansehen könne. Die IT-Abteilung bestand im Grunde nur aus vier Leuten, der Leiter hieß Brendan und war Jane direkt unterstellt. Angesichts der Größe der Truppe war es nichts Ungewöhnliches, dass Brendan sich um einige Aufträge auch persönlich kümmerte. Besonders wenn sie aus dem Management kamen. Und ganz besonders von der Geschäftsführerin.

Brendan war schnell da und hatte das Problem auch umgehend erkannt, erklärte aber, dass er den Laptop für die Reparatur mitnehmen müsse. Kathryn erklärte sich einverstanden, wies aber darauf hin, dass sie ihn vor Ende der Woche zurückbrauchte.

»Ach ja, richtig, da haben Sie ja wieder so einen externen Workshop!«

Dass Brendan von dem Workshop wusste, überraschte Kathryn nicht. Sie war sogar ganz froh darüber, dass die Leute Bescheid wussten, wie das Team seine Zeit verbrachte, wenn es nicht im Büro war. Aber seine nächste Bemerkung gab ihr doch zu denken:

»Bei diesen Treffen würde ich ja ehrlich gesagt gerne mal Mäuschen spielen!«

Das konnte Kathryn nicht unkommentiert lassen: »Ja? Wieso das denn?«

Brendan, dessen technische Fähigkeiten ebenso exzellent waren wie seine Sozialkompetenz gering, antwortete ohne zu zögern: »Na, ich kenne einige Leute hier, die würden richtig Geld dafür bezahlen, mal mitzuerleben, wie Mikey für ihre Art eins drüber bekommt!«

Obwohl Kathryn nicht bestreiten konnte, dass sie ganz froh war zu erfahren, dass auch anderen im Betrieb Mikeys Probleme in puncto Verhalten nicht unbekannt waren, war sie doch vor allem enttäuscht. Sie fragte sich, wie viele Mitarbeiter denn wohl sonst noch alles Details aus ihren Workshops kannten.

»Na, so würde ich das aber nicht bezeichnen, was wir da machen!«

Aber Kathryn wusste, dass Brendan hier kein Vorwurf zu machen war, daher wechselte sie rasch das Thema: »Danke jedenfalls, dass Sie sich um meinen Computer kümmern!«

Brendan ging, und Kathryn begann zu überlegen, wie sie dieses Thema gegenüber Jane und dem übrigen Team ansprechen sollte.

Externer Workshop Nummer zwei

In der folgenden Woche, wenige Tage nach der Besprechung, die bald die Bezeichnung »Feueralarm-Konferenz« erhielt, begann die nächste Sitzung des externen Workshops im Napa Valley.

Kathryn begann mit ihrer mittlerweile bekannten Ansprache: »Wir haben mehr Geld, die bessere Technik und begabtere und erfahrenere Führungskräfte als unsere Mitbewerber, und dennoch liegen wir hinter ihnen zurück. Erinnern wir uns, dass wir hier sind, weil wir anfangen möchten, als Team effizienter zusammenzuarbeiten.«

Dann sprach Kathryn ein schwieriges Thema an, wobei sie sich bemühte, nach Möglichkeit jeden drohenden Unterton zu vermeiden: »Ich habe eine kurze Frage an alle: Was haben Sie, wenn überhaupt, Ihren Mitarbeitern über unseren ersten externen Workshop erzählt?«

So sehr sie sich auch bemühte, Kathryn konnte doch nicht verhindern, dass jetzt eine gewisse Verhör-Atmosphäre im Raum entstand: »Ich will hier auf niemanden einprügeln. Ich meine nur, wir sollten uns über unser Verhalten als Team einig werden.«

Jeff sprach als Erster: »Ich habe meinen Leuten gar nichts gesagt. Überhaupt nichts.«

Der Raum lachte, denn Jeff hatte gar keine direkten Untergebenen mehr.

Mikey äußerte sich als Nächste: »Ich habe nur gesagt, dass wir hier so ein paar gefühlsduselige Übungen gemacht haben.« Das sollte witzig klingen, aber es war durchaus zu spüren, dass sie im Kern die Wahrheit sagte. Niemand lachte.

Jetzt ging Martin plötzlich in Verteidigungshaltung: »Also wenn Sie ein Problem mit irgendetwas haben, das wir getan haben, dann sollten Sie das einfach sagen! Denn ich gebe ganz offen zu, dass ich mit meinen Ingenieuren durchaus ein paar recht offene Worte gewechselt habe. Die wollten wissen, ob wir da unsere Zeit nur verschwenden oder nicht, und ich finde, sie haben auch ein Recht darauf, das zu erfahren. Wenn ich damit irgendwelche Vertraulichkeitsregeln gebrochen haben sollte, dann tut's mir leid.«

Alle im Raum waren ganz verblüfft von dem ungewohnt langen und emotionalen Ausbruch Martins.

Kathryn musste beinahe lachen: »Halt, halt! Ich bin ja hier auf gar keinen sauer! Ich sage ja auch überhaupt nicht, dass Sie mit Ihren Leuten nicht über den externen Workshop reden sollten! Im Gegenteil, ich hätte beim letzten Mal sogar viel ausführlicher ansprechen sollen, dass wir darüber mit unseren Teams reden müssen!«

Martin wirkte erleichtert und auch ein wenig beschämt.

Dann sprach Jane: »Ich habe meinem Team vermutlich mehr erzählt als alle anderen hier. Und ich nehme mal an, einer von denen hat irgendetwas zu Ihnen gesagt, ja?«

Kathryn fühlte sich von Jane ertappt: »Ja, es war in der Tat einer von Ihren Leuten, der mich dazu veranlasst hat, diese Frage zu stellen.«

Mikey freute sich sichtlich, dass Jane einmal dran war.

Kathryn fuhr fort: »Aber es geht hier nicht um Sie oder irgendjemand sonst im Besonderen. Ich versuche nur zu verstehen, wie es hier in puncto Vertraulichkeit und Loyalität läuft.«

»Was meinen Sie denn mit Loyalität?«, wollte Nick wissen.

»Ich meine damit, wen Sie alle als Ihr erstes Team betrachten?«

Die Verwirrung im Raum überraschte Kathryn nicht. Sie erklärte: »Das soll jetzt keine Lehrstunde über das Wahren vertraulicher Informationen werden! Jedenfalls steht das nicht im Zentrum. Was ich sagen will, geht weit darüber hinaus.«

Frustriert, weil es ihr nicht gelang, das Problem richtig in Worte zu fassen, nahm Kathryn Zuflucht zur Unverblümtheit: »Was ich gern wissen möchte, ist, ob Sie dieses Team hier genauso wichtig finden wie die Teams, die Sie selbst leiten, Ihre eigenen Abteilungen!«

Mit einem Mal schienen alle zu verstehen. Und fühlten sich gleich unbehaglich angesichts der wahren Antworten in ihren Köpfen.

Jane fragte zurück: »Sie wollen also wissen, ob wir unseren direkten Untergebenen Dinge anvertrauen, die unter uns hätten bleiben sollen?«

Kathryn nickte.

Mikey antwortete als Erste: »Ich fühle mich meinen Leuten weit verbundener als diesem Team hier. Tut mir leid, aber so ist es.«

Nick nickte. »Ich würde sagen, das gilt für mich wahrscheinlich auch. Vielleicht mit Ausnahme der Verkaufstruppe, die ich gerade erst übernommen habe.« Er dachte einen Moment nach. »Aber in ein paar Wochen werde ich mich denen wahrscheinlich ebenfalls stärker verbunden fühlen als diesem Team hier.«

Obwohl Nicks letzte Bemerkung als Scherz gemeint war und auch ein wenig müdes Gelächter im Raum hervorrief, versetzte die traurige Wahrheit hinter seiner Aussage der Stimmung im Saal doch einen Dämpfer.

Dann sprach Jane: »Ich schätze, wir würden hier wohl alle sagen, dass uns unsere eigenen Teams wichtiger sind als dieses hier.« Sie zögerte, bevor sie weitersprach. »Aber für keinen gilt das wahrscheinlich so sehr wie für mich.«

Diese Bemerkung erregte die Aufmerksamkeit aller.

»Möchten Sie das näher erklären?«, fragte Kathryn freundlich.

»Na ja, wie ja wohl jeder hier weiß, habe ich mit meinen Leuten ein ziemlich enges Vertrauensverhältnis. Von meinen acht direkten Mitarbeitern waren fünf schon vorher mit mir bei anderen Unternehmen. Ich bin fast so etwas wie ein Elternteil für sie.«

»Sie ist eine Herbergsmutter«, scherzte Carlos.

Alle lachten.

Jane lächelte und nickte: »Ja, da muss ich wohl zustimmen. Es ist ja nicht so, dass ich übertrieben emotional wäre oder so. Die Leute wissen nur einfach, dass ich nahezu alles für sie tun würde.«

Kathryn nickte, als versuche sie, diese Aussage zu erfassen: »Hm.«

Martin verteidigte Jane: »Das ist doch nichts Schlimmes! Meine Ingenieure wissen auch, dass ich ihnen nach Möglichkeit alle Störungen und Hindernisse vom Leib halte, aber zum Dank dafür arbeiten sie sich auch den Hintern für mich ab.«

Jane ergänzte noch: »Und sie werfen auch nicht hin, wenn das Fahrwasser mal etwas schwieriger wird! Meine Leute sind äußerst loyal.«

Kathryn hörte zwar nur zu, aber Nick spürte doch, dass sie drauf und dran war, etwas dagegen zu sagen: »Würden Sie denn behaupten, dass das ein Problem ist? Sie wollen doch bestimmt, dass wir gute Manager sind, oder?«

»Natürlich will ich das!« Kathryn beruhigte sie. »Ich freue mich ja, wie gut Sie sich mit Ihren Mitarbeitern verstehen! Das passt auch sehr gut zu allem, was ich in meinen ersten Gesprächen hier erfahren habe.«

Alle im Raum warteten ab, als wollten sie sagen: *Wo liegt dann also das Problem?*

Kathryn fuhr fort: »Aber wenn ein Unternehmen eine Reihe von guten Managern hat, die nicht als Team auftreten, dann kann das zu einem Dilemma für sie und für ihr Unternehmen führen. Verstehen Sie, es entsteht dann Unklarheit, wer für sie das erste Team ist.«

Jeff bat um Erklärung: »Das erste Team?«

»Ja, Ihr erstes Team! Das hat alles mit der letzten Dysfunktion zu tun – dass die Teamergebnisse wichtiger sein müssen als individuelle Erfolge. Ihr erstes Team muss dieses hier sein!« Sie blickte im Raum umher, um klarzumachen, dass sie damit den Managementstab meinte.

»So gut Sie sich auch mit Ihren Leuten verstehen und so schön das für die auch ist, es darf nicht zulasten der Loyalität und des Engagements für diese Gruppe hier gehen!«

Das Team versuchte diese Bemerkungen zu verdauen und auch die Schwierigkeiten, die sie mit sich brachten.

Jane sprach als Erste: »Das ist aber eine ziemlich heftige Forderung, Kathryn! Ich meine, ich könnte Ihnen hier natürlich leicht zustimmen und eine halbherzige Versicherung abgeben, dass das hier mein erstes Team ist, aber ich weiß nicht, wie ich das alles aufgeben soll, was ich mit so viel Mühe in meiner Abteilung aufgebaut habe!«

Carlos versuchte zu vermitteln: »Ich glaube nicht, dass Sie das alles aufgeben müssen.« Er blickte Zustimmung heischend in Kathryns Richtung.

Kathryn blinzelte, als fürchtete sie sich davor, hier standhaft bleiben zu müssen: »Na ja, Sie müssen es natürlich nicht zerstören. Aber es muss schon zweitrangig für Sie werden. Und das könnte sich für viele von Ihnen schon so anfühlen wie ein Aufgeben.«

Etwas entmutigt dachte die Gruppe über diesen schwierigen Vorschlag nach.

Jeff versuchte, die Stimmung etwas aufzuheitern: »Hey, stellt euch doch nur mal vor, wie beschissen die Situation für mich gewesen ist! Ihr *wart* schließlich mein erstes Team! Ich hatte sonst niemanden, zu dem ich gehen und mich beschweren konnte.« Alle lachten, sogar Mikey. Aber obwohl Jeff im Spaß gesprochen hatte, spürten sie doch auch, dass ein Körnchen Wahrheit in dem war, was er gesagt hatte, und er tat ihnen ein wenig leid.

Kathryn fühlte jetzt das Bedürfnis, zum Abschluss zu kommen: »Ich weiß nicht, wie ich Ihnen das sonst sagen soll, aber Teambildung ist halt schwer.«

Niemand sagte etwas. Kathryn konnte den Zweifel in ihren Gesichtern lesen. Aber sie ließ sich davon nicht schrecken, denn bei diesem Zweifel schien es sich nicht um die Frage zu drehen, ob Teambildung wirklich wichtig war, sondern darum, ob sie das auch wirklich schaffen würden. Und eine solche Art von Zweifel war Kathryn immer weit lieber.

Weiterackern

Kathryn drückte aufs Tempo: »Hören Sie, wir werden das hier und jetzt nicht lösen können. Das Ganze ist ein Prozess. Mehr als ein paar Minuten sollten wir daher jetzt auch keine Nabelschau betreiben. Bleiben wir einfach dran an unserem Plan, hier ein Team zu bilden, und dann wird es uns vielleicht auch irgendwann nicht mehr so furchtbar erscheinen, dass wir dieses Team an die erste Stelle setzen müssen.«

Die Gruppe schien bereit, sich aus dem Stimmungstief holen zu lassen, und so stellte Kathryn eine ganz einfache Frage: »Wie machen wir uns?«

Jeff sprach als Erster: »Ich denke, wir können nicht wegdiskutieren, was seit dem letzten externen Workshop alles passiert ist. Ich meine, wenn mir vorher einer gesagt hätte, dass JR gehen würde und wir dann gleich jemanden wie Nick als Ersatz hätten, dann hätte ich Sie wahrscheinlich verdächtigt, das Ganze von vornherein inszeniert zu haben.«

Nick stimmte zu: »Ich hätte vorher nie gedacht, dass ich mal diesen Job übernehmen würde, und schon gar nicht, dass er mir sogar Spaß macht. Aber ich finde, wir sind auf einem ganz ordentlichen Weg. Wir haben allerdings noch eine gute Strecke vor uns, wenn wir unsere Zahlen erreichen wollen.«

Kathryn setzte den Fokus anders: »Aber wie arbeiten wir als Team?«

Jane antwortete: »Ich würde sagen, wir machen uns ganz gut. Wir bewegen uns doch wohl in die richtige Richtung und führen definitiv mehr konstruktive Auseinandersetzungen.«

Die Gruppe lachte.

»Also ich weiß nicht. Ich bekomme allmählich meine Zweifel.« Von einer Bemerkung wie dieser wäre Kathryn an dieser Stelle des Prozesses normalerweise nicht überrascht gewesen. Nur dass sie ausgerechnet von Carlos kam.

»Wie kommt's?«, fragte sie.

Carlos runzelte nachdenklich die Stirn: »Keine Ahnung. Ich habe irgendwie das Gefühl, wir kommen gar nicht zu den wirklich wichtigen Themen. Aber vielleicht bin ich ja auch einfach nur zu ungeduldig.«

»An was für wichtige Themen dachten Sie denn?«, fragte Jane nach.

»Ach, ich möchte ja jetzt keinen Streit vom Zaun brechen ...«

Kathryn unterbrach ihn: »Aber mir wäre das lieb!«

Carlos lächelte. »Na ja, also ich frage mich, glaube ich, einfach, ob wir unsere Mittel auch wirklich für die richtigen Zwecke einsetzen.«

Martin schien zu ahnen, dass Carlos' Bemerkung ihm galt. Und er hatte recht: »Wie meinen Sie das, Mittel?«

Carlos begann zu stottern: »Ja, ich weiß nicht, ich finde, wir haben doch eine ziemlich große technische Abteilung. Fast ein Drittel des Betriebes, glaube ich. Aber, na ja, wir könnten für Verkauf, Marketing und Beratung durchaus auch ein paar mehr Mittel gebrauchen.«

Auf derartige Bemerkungen pflegte Martin nicht emotional zu reagieren. Er bevorzugte einen »sarkratischen« Ansatz, wie er es vielleicht selbst bezeichnen würde – eine sarkastische Version der sokratischen Methode. Er wollte Carlos' Stellungnahme gerade entsprechend clever kontern, als Mikey einstimmte: »Ich gebe Carlos recht! Ich habe offen gesagt keine Ahnung, was die Hälfte unserer Ingenieure überhaupt macht. Und ich lechze danach, mehr Geld für besseres Marketing und Werbung zur Verfügung zu bekommen.«

Martin seufzte hörbar, als wollte er sagen: *Geht das nun schon wieder los!* Seine Verärgerung entging niemandem im Raum.

Kathryn setzte den Ton für die folgende Debatte: »O. K., diskutieren wir das aus! Und zwar nicht etwa mit dem Gefühl, dass wir hier etwas Falsches täten. Wir sind es unseren Aktionären und Mitarbeitern schlicht schuldig, dass wir Klarheit darüber gewinnen, wie wir unser Geld richtig einsetzen. Das ist kein Religionskrieg. Hier geht es um Strategie.«

Nachdem sie auf diese Weise ein wenig die Spannung herausgenommen hatte, heizte Kathryn das Feuer nun aber erst richtig an. Sie wandte sich direkt an Martin: »Sie sind es leid, dass hier immer wieder unsere Investitionen in die Produktentwicklung infrage gestellt werden, stimmt's?«

Martin antwortete ruhig, aber konzentriert: »Da haben Sie verdammt recht! Was die Leute hier nicht zu verstehen scheinen, ist, dass es nicht um Investitionen in Ingenieure geht. Es geht um die Technologie! Wir sind schließlich ein Unternehmen, das Produkte verkauft! Es ist doch nicht so, dass ich hier Geld ausgebe, um mit meinen Ingenieuren Golfausflüge zu machen!«

»Jetzt hören Sie aber auf, Martin!«, rief Nick. »Ingenieure spielen doch überhaupt nicht Golf!« Nachdem er die Debatte humorvoll aufgelockert hatte, nahm der neue Verkaufschef den Gesprächsfaden wieder auf: »Es ist doch nicht so, dass wir Sie nicht für verantwortungsbewusst hielten. Es könnte nur sein, dass Sie ein wenig einseitig sind.«

»Einseitig?« Martin war nicht bereit einzulenken. »Jetzt hören Sie aber auf, ich gehe zu genauso vielen Verkaufsterminen wie jeder andere auch, ich spreche mit Analysten ...«

Jetzt schaltete sich Jane ein: »Halt, Martin! Hier stellt doch niemand Ihr Engagement für die Firma infrage! Es ist einfach nur so, dass Sie von der Ingenieurstätigkeit mehr verstehen als von allem anderen, und vielleicht bringt Sie das dazu, nur in Produkte investieren zu wollen.« Dann kam Jane zum Kern der Sache: »Warum gehen Sie eigentlich immer so in die Defensive, wenn irgendjemand etwas über Ingenieursarbeit sagt?«

Es war, als hätte Jane einen Eimer kaltes Wasser über Martin ausgegossen, und alle anderen im Raum hätten auch ein paar Spritzer abbekommen.

Mikey bekräftigte, wenn auch freundlicher als sonst: »Da hat sie recht! Sie reagieren, als wollten wir Ihre Intelligenz anzweifeln.«

Martin beharrte, wenn auch ruhiger: »Ja, tun Sie das denn nicht? Sie sagen doch, dass ich den Bedarf an Mitteln überschätze, den wir brauchen, um unsere Produkte zu konstruieren und zu pflegen.«

Jane erklärte, mit mehr Takt, als es Mikey gekonnt hätte: »Nein, Martin, die Frage ist viel weiter gefasst. Es geht hier doch darum, wie gut unsere Produkte sein müssen, damit wir am Markt in Führung gehen können. Wir fragen, wie viele Anstrengungen wir wirklich in Zukunftstechnologie investieren müssen, weil das schließlich auf Kosten des Markterfolgs unserer gegenwärtigen Technologie gehen könnte.«

Jetzt verließ Kathryn ihre unterstützende Rolle und ergänzte Janes Argumentation: »Und es gibt keine Möglichkeit, dass Sie das ganz allein herausfinden könnten! Ich schätze, niemand hier ist clever genug und hat die erforderliche Breite und Tiefe an Wissen, um diese Frage richtig beantworten zu können, ohne erst einmal die anderen anzuhören und von ihrer jeweiligen Perspektive zu profitieren.«

Kurioserweise schien es, als echauffierte sich Martin umso mehr, je rationaler die Argumentation wurde. Es war, als könnte er das unsichere Gemecker Mikeys zwar mühelos abwehren, würde aber von Janes und Kathryns Fairness und Logik in die Enge getrieben.

»Hört mal, nach all der Zeit, die wir in die Entwicklung unserer Produkte investiert haben, habe ich einfach keine Lust, einen Nachruf auf unsere Firma zu lesen, in dem geschrieben steht, dass unser Ableben auf die miese Technik zurückzuführen war!« Bevor ihn noch jemand darauf hinweisen konnte, dass das nun aber ein Paradebeispiel für die fünfte Dysfunktion war, kam Martin ihnen selbst zuvor: »Ja, ich weiß, das klingt jetzt sehr danach, als wäre es mir wichtiger, persönliche Schuld zu vermeiden, als zum Erfolg der Firma beizutragen, aber ...« Ihm schien keine richtige Erklärung für sein Verhalten einzufallen.

Jane half ihm aus der Verlegenheit: »Ja, was glauben Sie denn, warum ich so pingelig in puncto Finanzen bin?« Das war eine rhetorische Frage, daher beantwortete sie sie selbst: »Weil das Letzte, was ich im *Wall Street Journal* lesen möchte, ist, dass wir unser Unternehmen schließen mussten, weil die Liquidität nicht ordentlich gemanagt wurde. Und Carlos möchte nicht, dass uns Kundendienstprobleme ruinieren, und Mikey möchte vermeiden, dass wir scheitern, weil es uns nicht gelungen ist, eine Marke aufzubauen.«

Auch bei einer derart gerechten Verteilung der Schuld schien Mikey ihren Anteil nicht akzeptieren zu können. Sie warf Jane einen Blick zu, der besagte: *Machen Sie sich da mal keine Sorgen!*

Jane ignorierte sie einfach und meinte zum Rest der Gruppe: »Das klingt fast so, als würden wir um Rettungsboote auf der *Titanic* kämpfen.«

»Na, so dramatisch ist es aber wohl doch nicht«, entgegnete Nick.

Kathryn wandelte die Metapher ihrer Finanzchefin ein wenig ab: »Dann stehen wir eben alle immer möglichst nahe an den Rettungsbooten, nur für alle Fälle.«

Nick nickte, wie um zu sagen: *O. K., so kann man's vielleicht ausdrücken.* Kathryn führte das Gespräch wieder zum Thema zurück und richtete ihre Eingangsfrage an Martin: »Also, wie ist jetzt der Stand der Dinge?«

Martin seufzte einmal tief und schüttelte den Kopf, als ginge ihm das alles gegen den Strich, aber dann überraschte er alle, indem er aufstand und erklärte: »O. K., dann arbeiten wir das mal durch!«

Er ging an die weiße Tafel und zeichnete dort seine gesamte Betriebsorganisation auf. Er stellte dar, wer woran arbeitete und wie alles zusammenspielte. Seine Kollegen waren bass erstaunt, einerseits, wie wenig sie darüber wussten, was im Fertigungsbereich vor sich ging, andererseits, wie sehr dort eines ins andere griff.

Im Anschluss an Martins Vortrag ließ Kathryn die Gruppe zwei Stunden lang diskutieren. Es ging um die Vor- und Nachteile einer Reduzierung oder Erhöhung der Mittel im Fertigungsbereich und ihrer möglichen Verwendung in anderen Unternehmensbereichen. Zuweilen ging es hoch her, Meinungen wurden geändert, man kehrte zur ursprünglichen Ansicht zurück, nur um schließlich festzustellen, dass die richtige Antwort gar nicht so leicht zu finden war.

Mit das Wichtigste war aber vielleicht, dass im Lauf der Diskussion jeder, einschließlich Kathryn, mindestens einmal zum Flipchart ging, sich den Stift griff und einen Punkt erläuterte. Und wenn einer mal gähnte, dann lag das an Erschöpfung, nicht an Langeweile.

Schließlich war es Jeff, der eine Lösung vorschlug. Er regte an, eine geplante Produktlinie komplett zu streichen und eine weitere erst einmal um sechs Monate zu verschieben. Nick schlug daraufhin vor, die betreffenden Ingenieure von den Projekten abzuziehen und nach einer

Schulung dem Verkaufsteam als technische Berater bei Produktdemonstrationen zuzuordnen.

Binnen weniger Minuten hatte das Team sich geeinigt und eine anspruchsvolle Zeitschiene zur Durchführung der Veränderungen entworfen und betrachtete nun verblüfft die komplexe, aber machbare Lösung auf der Tafel vor ihnen.

Kathryn schlug vor, jetzt in die Mittagspause zu gehen, und fügte hinzu: »Anschließend werden wir uns damit befassen, wie wir mit zwischenmenschlichem Unbehagen umgehen können, und uns gegenseitig zur Verantwortung ziehen.«

»Ich kann's kaum erwarten!« Martins trockene Bemerkung war keineswegs als Kritik am Vorgehen gemeint, und das verstand auch jeder richtig.

Verantwortung

Nach dem Essen wollte Kathryn gern den Schwung der Vormittagssitzung nutzen und hielt es für das Beste, reale Probleme zu besprechen, statt theoretische Übungen abzuhalten.

Sie bat Nick, die Leitung bei einer Bestandsaufnahme zu übernehmen, die klären sollte, wie weit das Team mit seinem Ziel der 18 Abschlüsse gekommen war. Nick ging zur Tafel und schrieb die vier Hauptmaßnahmen auf, auf die sich die Gruppe beim letzten externen Workshop verständigt hatte: Produktdemonstrationen, Konkurrenzanalyse, Verkaufstraining und Produktprospekte. Anschließend ging Nick die Liste durch:

»O. K., Martin, wie läuft's bei Ihnen mit dem Produktdemo-Projekt?«

»Wir sind dem Zeitplan ein wenig voraus. Das Ganze hat sich als etwas einfacher herausgestellt als gedacht, daher dürften wir ein bis zwei Wochen früher fertig sein. Carlos war dabei übrigens eine große Hilfe.«

Nick wollte keine Zeit verschwenden und ging gleich zum nächsten Punkt über: »Super! Und wie sieht's bei der Konkurrenzanalyse aus? Carlos?«

Carlos blätterte einen Stapel Papiere auf dem Tisch vor sich durch: »Ich habe eine aktuelle Zusammenstellung mitgebracht, aber ich kann sie im Moment nicht finden.« Er gab das Suchen auf. »Na egal. Letztlich haben wir auch noch gar nicht richtig angefangen. Ich konnte noch keine Besprechung ansetzen.«

»Wie kommt das denn?« Nick reagierte geduldiger, als Kathryn erwartet hätte.

»Also ganz offen gesagt, weil viele Ihrer Leute keine Zeit hatten. Und ich war damit beschäftigt, Martin bei der Demo zu helfen.«

Schweigen.

Nick entschied sich, konstruktiv zu reagieren: »O. K. Wer von meinen Leuten hatte denn keine Zeit?«

Carlos wollte auf niemanden mit dem Finger zeigen: »Ich beschwere mich ja gar nicht. Es ist nur, dass ...«

Nick unterbrach: »Schon gut, Carlos. Sagen Sie mir einfach, wer von meinen Leuten da ein wenig kooperativer sein sollte!«

»Tja, ich denke, Jack ist ziemlich wichtig. Ken auch. Und ich weiß nicht, ob ...«

Jetzt griff Kathryn ein: »Sieht hier jemand ein Problem?«

Nick antwortete als Erster: »Ja, da muss ich mit meinen Leuten wohl mal über unsere Prioritäten reden und ihnen klarmachen, dass sie da mitziehen müssen.«

Kathryn stimmte zwar zu, war aber eigentlich auf etwas anderes aus: »Aber was ist denn mit Carlos? Meinen Sie nicht auch, er hätte schon ein bisschen früher zu Ihnen kommen sollen als heute, um dieses Problem zu lösen? Keiner von Ihnen hat ihn kritisiert, als er eben erklärt hat, er habe noch gar nicht mit der Konkurrenzanalyse angefangen.«

Wieder unbehagliches Schweigen.

Carlos war selbstsicher genug, auf die Frage seiner Chefin nicht überzureagieren. Er schien erst einmal gründlich über die Frage nachzudenken.

Martin schaltete sich ein: »Es ist nicht leicht, jemanden zu kritisieren, der immer so hilfsbereit ist!«

Kathryn nickte, erklärte dann aber entschieden: »Das ist richtig. Aber das ist keine gute Entschuldigung! Carlos ist immerhin Bereichsleiter dieses Unternehmens und sollte daher besser in der Lage sein, seine Prioritäten so zu setzen, wie wir es besprochen haben, und er müsste Mitarbeiter zum Kooperieren bringen, die nicht seinen Vorstellungen gemäß mitziehen.«

Da Kathryn spürte, dass Carlos sich allmählich in die Enge getrieben fühlte, wandte sie sich direkt an ihn: »Ich benutze Sie hier nur als Beispiel, Carlos, weil Sie einer sind, dem man so etwas gerne nachsieht. Aber was ich sagen will, könnte für jeden hier gelten! Manchen zieht man ungern zur Verantwortung, weil er immer so hilfsbereit ist. Einen anderen, weil er dann sofort in die Defensive geht. Und den Dritten, weil man ein bisschen Angst vor ihm hat. Ich glaube, es ist nie leicht, jemanden zur Verantwortung zu ziehen. Nicht einmal bei den eigenen Kindern.«

Hier war einiges Kopfnicken in der Runde zu sehen. Kathryn fuhr fort: »Ich möchte aber, dass Sie sich alle gegenseitig zur Verantwortung ziehen: Was Sie jeweils gerade machen, wie Sie Ihre Zeit verwenden, ob Sie ausreichend Fortschritte erzielen!«

Mikey warf ein: »Das klingt jetzt aber nach fehlendem Vertrauen!«

Kathryn schüttelte den Kopf: »Vertrauen heißt nicht, dass Sie unbedingt davon ausgehen müssten, jemand anderes wäre immer genauso weit wie Sie und müsste nicht vielleicht auch mal angetrieben werden. Vertrauen heißt aber zu wissen, dass, wenn jemand drängt, er oder sie das dann nur im Interesse des Teams macht.«

Nick stellte klar: »Aber dann müsste man schon darauf achten, dass man den Leuten nicht auf den Nerv geht, wenn man mal etwas anmahnt.«

Da Nicks Aussage wie eine Frage klang, antwortete Kathryn darauf: »Auf jeden Fall! Nachhaken immer mit Respekt und in der Annahme, dass der andere wahrscheinlich schon das Richtige tut. Aber nachhaken auf jeden Fall. Und keinen Rückzieher machen!«

Das Team schien das zu verdauen und Kathryn ließ ihnen Zeit dazu. Dann forderte sie Nick auf fortzufahren.

Das tat Nick dann auch gerne: »O. K., dann wären wir beim dritten Punkt, Verkaufstraining. Das ist mein eigenes Thema, und da sind wir im Plan. Ich habe ein zweitägiges Trainingsprogramm für unsere Verkäufer angesetzt, und ich denke, daran sollten auch wir alle teilnehmen.«

Ungläubig fragte Mikey: »Warum das denn?«

»Weil wir uns alle als Verkäufer verstehen sollten. Und ganz besonders, wenn die angestrebten 18 Verkaufsabschlüsse wirklich unsere erste Priorität sind.«

Daran ließ Kathryn keinen Zweifel: »Das sind sie!«

Nick fuhr fort: »Dann geht uns das alle an und wir sollten wissen, wie wir unsere Verkäufer unterstützen können.« Er nannte den Termin für das Training, und alle schrieben ihn in ihren Kalender.

Mikey wirkte immer noch angesäuert.

»Gibt's da ein Problem, Mikey?« Es war Nick, der fragte.

»Nein, nein, machen Sie weiter!«

Das wollte Nick so nicht hinnehmen. Er schluckte den Frust hinunter, den er vielleicht empfand, und hakte nach: »Nein, ernsthaft, wenn es gute Gründe gibt, warum Sie nicht an dem Verkaufstraining teilnehmen sollten, dann höre ich mir die gerne an.« Er wartete ab, ob Mikey etwas sagen würde, und als nichts kam, ergänzte er noch: »Offen gestanden kann ich mir aber gar nichts Wichtigeres vorstellen.«

Schließlich kam von Mikey die sarkastische Antwort: »O. K., dann möchte ich aber auch, dass Sie alle an meiner Produktmarketingkonferenz nächste Woche teilnehmen.«

Wieder riss Nick sich zusammen: »Tatsächlich? Denn wenn Sie wirklich meinen, dass wir alle dabei sein sollten, und das sinnvoll ist, dann machen wir das auch.«

Mikey erwog dieses Angebot nicht einmal: »Vergessen Sie's! Ich komme zum Verkaufstraining. Bei der Produktmarketingkonferenz brauche ich keinen von Ihnen, abgesehen von Martin.«

In diesem Moment wurde Kathryn klar, dass Mikey würde gehen müssen. Leider machten die nächsten fünf Minuten ihr das schwerer, als ihr lieb war.

Einzelkämpfer

Nick kam zum vierten Punkt der Liste: »Gut. Wie weit sind wir mit den Produktprospekten?« Er richtete die Frage an Mikey.

»Damit sind wir fertig.« Mikeys Versuch, dabei nicht allzu eingebildet zu klingen, war leicht durchschaubar.

Nick war überrascht: »Echt?«

Da sie spürte, dass ihre Kollegen ihr nicht glauben wollten, griff Mikey in ihre Computertasche und holte einen Stapel Hochglanzprospekte heraus, die sie herumzureichen begann: »Die sollen nächste Woche in Druck gehen.«

Im Raum herrschte Schweigen, während alle die Gestaltung prüften und den Text lasen. Kathryn konnte spüren, dass die meisten von der Qualität des Materials angetan waren.

Nur Nick schien sich leicht unbehaglich zu fühlen: »Wollten Sie darüber noch mit mir reden? Denn einige der Verkäufer sind gerade dabei, vor Ort für diese Prospekte Kundenbefragungen durchzuführen, und die dürften wohl ein wenig vergrätzt sein, wenn sie sehen, dass ihr Input gar nicht ...«

Mikey unterbrach: »Meine Leute verstehen davon mehr als jeder andere hier im Haus. Aber wenn Sie wollen, dass jemand aus Ihrer Abteilung auch noch seinen Senf dazugibt, können wir das gerne machen.« Es war erkennbar, dass sie das für überflüssig hielt.

Nick wirkte hin- und hergerissen. Einerseits war er beeindruckt von dem, was er sah, andererseits verstimmt über die Art, wie es ihm präsentiert wurde: »O. K., ich schicke Ihnen eine Liste mit drei, vier Leuten, die da noch mal drübergucken sollen, bevor wir es rausgeben.«

Alle Begeisterung über Mikeys gutes Vorankommen war durch ihre Reaktion auf Nick wieder verschwunden.

Jeff versuchte die unbehagliche Situation zu retten: »Auf jeden Fall würde ich sagen, dass Sie und Ihre Leute da gute Arbeit gemacht haben.«

Mikey genoss das Kompliment ein bisschen zu sehr: »Ja, da habe ich auch viel dran gearbeitet, aber das ist auch das, was ich am besten kann.«

Der ganze Raum schien unter dem fortgesetzten Mangel an Bescheidenheit der Kollegin still aufzustöhnen.

In einer für sie ungewohnt impulsiven Reaktion beschloss Kathryn, dass sie jetzt nicht mehr länger warten könne. Nachdem sie verkündet hatte, dass es am Nachmittag erst einmal eine lange Pause geben würde bis zum Essen um sechs, entließ sie alle in die Freizeit. Bis auf Mikey.

Das Gespräch

Nachdem alle den Raum verlassen hatten und die Tür hinter ihnen ins Schloss gefallen war, beschlich Kathryn plötzlich ein Gefühl der Reue, und am liebsten hätte sie jetzt einen langen Spaziergang ganz für sich allein gemacht. *Wie komme ich aus dieser Geschichte wieder raus,* fragte sie sich. Aber sie wusste, jetzt gab es kein Zurück mehr.

Mikey schien keine Ahnung zu haben, worum es ging. Kathryn überlegte, ob das die Sache einfacher oder schwerer machte. Sie sollte es bald herausfinden.

»Das wird ein schwieriges Gespräch werden, Mikey.«

Ein Blitz der Erkenntnis schien in den Augen der Bereichsleiterin Marketing aufzuleuchten, aber das war sofort wieder vorbei: »Ach so?«

Kathryn atmete einmal tief durch und kam dann direkt zum Kern der Sache: »Ich denke, Sie sind für dieses Team ungeeignet. Und ich denke auch, Sie würden selbst lieber auch nicht mit von der Partie sein. Wissen Sie, worauf ich anspiele?«

Mikey durchfuhr echter Schreck. Darauf war Kathryn nicht gefasst. *Das muss sie doch kommen sehen haben,* stöhnte Kathryn im Stillen.

Mikey reagierte mit ungläubigem Staunen: »Ich? Das soll wohl ein Witz sein? Sie meinen, von allen Leuten in diesem Team soll ausgerechnet ich ...« Sie ließ den Satz unvollendet und blickte Kathryn scharf in die Augen: »Ich?«

Seltsamerweise fühlte Kathryn sich nun, da die Fakten auf dem Tisch lagen, mit einem Mal viel wohler in ihrer Haut. Sie hatte in ihrer Karriere zur Genüge mit schwierigen Managern zu tun gehabt, die sich ihrer Problematik gar nicht bewusst gewesen waren, dass sie deren Schock unbeirrt durchstehen konnte. Allerdings war Mikey cleverer als der Durchschnittsmanager.

»Worauf soll sich das denn gründen?«, wollte Mikey wissen.

Ruhig erläuterte Kathryn: »Mikey, Sie scheinen Ihre Teamkollegen nicht zu respektieren. Sie sind nicht bereit, ihnen gegenüber offen zu sein. Und bei unseren Besprechungen haben Sie einen äußerst störenden und demotivierenden Einfluss auf die Runde. Mich eingeschlossen.« So gut Kathryn auch wusste, wie recht sie mit ihren Aussagen hatte, wurde ihr dennoch auf einmal bewusst, wie hohl und phrasenhaft die Vorwürfe für jemanden klingen könnten, der nicht mit der Situation vertraut war.

»Sie finden, ich respektiere meine Kollegen nicht? Die respektieren mich nicht, das ist das Problem!« Schon während die Worte ihren Mund verließen, schien Mikey zu erkennen, was für eine schwere Selbstanklage sie da aus Versehen erhoben hatte. Leicht gereizt versuchte sie klarzustellen: »Sie respektieren meine Fachkenntnis nicht! Meine Erfahrung! Und sie haben definitiv keine Ahnung, wie man Software vermarktet!«

Kathryn hörte schweigend zu, und jedes Wort, das Mikey sprach, bestärkte ihren Entschluss.

Mikey, die das zu spüren schien, ging nun zum Angriff über, ruhiger, aber doch mit unverkennbarer Giftigkeit: »Kathryn, was meinen Sie wohl, was der Vorstand sagen wird, wenn ich das Team verlasse? In weniger als einem Monat hätten Sie es dann geschafft, Ihren Verkaufs-

und Ihren Marketing-Chef zu verlieren. Ich an Ihrer Stelle würde mir Sorgen um meinen Job machen!«

»Ich weiß Ihre Besorgnis zu schätzen«, entgegnete Kathryn mit leicht sarkastischem Tonfall. »Aber mein Job besteht nicht darin, Konfrontationen mit dem Vorstand aus dem Wege zu gehen. Mein Job besteht darin, ein funktionsfähiges Managementteam aufzubauen, das den Laden zum Laufen bringt.« Und in etwas versöhnlicherem Ton fügte sie hinzu: »Und ich glaube nicht, dass Sie wirklich gern ein Teil davon wären.«

Mikey atmete einmal durch: »Glauben Sie wirklich, dass dem Unternehmen geholfen wäre, wenn ich nicht mehr im Team bin?«

Kathryn nickte: »Ja, das glaube ich. Und ich glaube auch ehrlich, dass es besser für Sie wäre.«

»Wie meinen Sie das denn?«

Kathryn beschloss, so aufrichtig und auch so freundlich wie möglich zu sein: »Sie könnten ein Unternehmen finden, das Ihre Fähigkeiten und Ihren Stil mehr zu schätzen weiß.« Den nächsten Satz wollte Kathryn zunächst hinunterschlucken, erkannte dann aber, dass es in Mikeys bestem Interesse wäre, ihn zu hören: »Allerdings könnte ich mir durchaus vorstellen, dass Sie dabei ein paar Schwierigkeiten bekommen könnten, wenn Sie nicht anfangen, ein bisschen mehr auf sich selbst zu achten.«

»Was soll das denn heißen?«

»Das soll heißen, dass Sie verbittert wirken, Mikey. Vielleicht hat das ja speziell mit DecisionTech zu tun, aber ...«

Mikey unterbrach, bevor Kathryn fortfahren konnte: »Das hat mit Sicherheit mit DecisionTech zu tun, denn solche Schwierigkeiten wie hier hatte ich noch nie!«

Kathryn war sicher, dass das nicht stimmte, wollte aber kein Salz in die Wunde streuen: »Dann werden Sie anderswo mit Sicherheit glücklicher werden als hier.«

Mikey starrte auf den Tisch vor sich. Kathryn hatte das Gefühl, sie beginne, sich mit ihrer Situation abzufinden, sie vielleicht sogar zu akzeptieren. Aber sie hatte sich getäuscht.

Letztes Gefecht

Mikey entschuldigte sich, weil sie ihre Gedanken sortieren wollte. Als sie nach ein paar Minuten wiederkam, wirkte sie emotionaler und entschlossener denn je:

»Also zunächst einmal: Ich werde nicht von mir aus kündigen. Da müssen Sie mich schon rauswerfen. Und mein Mann ist Anwalt! Sie werden es also nicht leicht haben, etwas gegen mich zu konstruieren.«

Kathryn ließ sich nicht schrecken. Im Gegenteil antwortete sie aufrichtig und voller Sympathie: »Ich werde Sie nicht rauswerfen. Und Sie müssen auch nicht gehen.«

Mikey wirkte verwirrt.

Kathryn erklärte die Situation: »Aber dann würde sich Ihr Verhalten vollständig ändern müssen. Und das schnell.« Kathryn ließ Mikey etwas Zeit, um zu verstehen, was sie gesagt hatte. »Aber offen gesagt kann ich mir kaum vorstellen, dass Sie da durchwollen.«

Mikeys Gesicht zeigte deutlich, dass sie da nicht durchwollte. Aber sie verteidigte sich weiter: »Ich glaube nicht, dass mein Verhalten hier das Problem ist.«

Kathryn entgegnete: »Es ist sicher nicht das einzige Problem. Aber es ist schon ein sehr reales Problem. Sie nehmen nicht an Aufgaben außerhalb Ihrer Abteilung teil. Sie nehmen keine Kritik von Kollegen an. Und Sie entschuldigen sich nicht, wenn Sie einmal völlig danebengelegen haben.«

»Wann habe ich denn völlig danebengelegen?«, wollte Mikey wissen.

Kathryn konnte nicht entscheiden, ob Mikey hier die Unschuldige spielte oder ob sie wirklich so wenig soziales Bewusstsein hatte. Aber wie dem auch sei, sie würde für Klarheit sorgen müssen, aber auf die ruhige Art: »Tja, ich weiß gar nicht, wo ich da anfangen soll. Also erst einmal ist da Ihr ständiges Augenverdrehen. Dann Ihre unhöflichen und respektlosen Bemerkungen, zum Beispiel als Sie zu Martin gesagt haben, er sei ein Arsch. Oder Ihr Desinteresse am Verkaufstraining, obwohl das die höchste Priorität des Unternehmens ist. Ich denke, das ist alles ziemlich daneben.«

Mikey saß nur geschockt da. Angesichts der klaren Beweislage schien ihr die Tragweite ihres Dilemmas erstmals richtig bewusst zu werden. Aber sie hatte immer noch einen Rest Munition übrig und wollte sich nicht kampflos ergeben: »Hören Sie, ich bin's einfach leid, ständig kritisiert zu werden. Und ich werde mich mit Sicherheit nicht ändern, nur damit ich in diese dysfunktionale Gruppe von Leuten passe. Aber ich werde Ihnen die Sache nicht leicht machen und einfach gehen. Hier geht's ums Prinzip!«

Kathryn blieb selbstbewusst: »Welches Prinzip?«

Darauf konnte Mikey keine passende Antwort finden. Sie blickte Kathryn nur kalt an und schüttelte den Kopf.

Fast eine volle Minute verstrich. Kathryn widerstand der Versuchung, das Schweigen zu brechen, und überließ es Mikey, selbst zu erkennen, wie hohl ihre Argumente waren. Schließlich sagte Mikey: »Ich will drei Monatsgehälter Abfindung, eine Übertragung aller meiner Aktienoptionen und in allen offiziellen Dokumenten die Formulierung, dass ich auf meinen eigenen Wunsch gegangen bin.«

Erleichtert wie sie war, hätte Kathryn ihr jeden Wunsch erfüllt. Aber sie hütete sich, das zu sagen: »Ich weiß nicht, inwieweit das alles machbar ist, aber ich werde schauen, was ich tun kann.«

Ein paar weitere unbehagliche Momente des Schweigens verstrichen: »Wollen Sie, dass ich sofort gehe? Soll ich nicht wenigstens noch zum Essen bleiben?«

Kathryn nickte. »Sie können Ihre Sachen nächste Woche im Büro abholen kommen. Und mit der Personalabteilung Ihr Abfindungspaket aushandeln, vorausgesetzt, dass ich durchsetzen kann, was Sie wollen.«

»Hört mal, ihr wisst ja wohl, dass ihr jetzt aufgeschmissen seid, oder?« Irgendwie wollte es Mikey Kathryn doch noch heimzahlen. »Ihr habt jetzt niemanden mehr für Verkauf und Marketing, und ich würde mich nicht wundern, wenn jetzt auch noch etliche meiner Mitarbeiter gingen.«

Kathryn hatte solche Situationen oft genug erlebt und kannte auch Mikeys Mitarbeiter gut genug, um zu wissen, dass viele von ihnen die

Macken ihrer Chefin genauso sahen wie alle anderen auch. Dennoch hatte sie das Gefühl, dass es jetzt am besten sei, etwas Besorgnis an den Tag zu legen: »Ich könnte es gut verstehen, wenn das passiert. Ich kann nur hoffen, dass es nicht so kommt.«

Mikey schüttelte den Kopf, als wollte sie noch einmal zu einer ihrer Tiraden ansetzen, ergriff dann aber wortlos ihre Computertasche und ging.

Unter Beschuss

Den Rest der Pause machte Kathryn einen langen Spaziergang durch die Weinberge. Danach fühlte sie sich etwas erholt – und war doch unvorbereitet auf die Reaktionen, die folgen sollten, als das Meeting weiterging.

Bevor Kathryn das Thema ansprechen konnte, hatte Nick schon gefragt: »Wo ist denn Mikey?«

Kathryn wollte nicht allzu erleichtert klingen, als sie die Botschaft bekanntgab: »Mikey kommt nicht mehr. Sie verlässt das Unternehmen.«

Die Reaktionen, die sie von den Gesichtern rund um den Tisch ablesen konnte, entsprachen nicht ganz dem, was Kathryn erwartet hatte. Es herrschte allgemeine Überraschung.

»Wie kommt das denn?«, fragte Jane.

»Ja, was ich Ihnen jetzt sage, muss aber unter uns bleiben, wegen der Rechtsprobleme im Zusammenhang mit Kündigungen.« Alle nickten.

Kathryn äußerte sich ganz direkt: »Ich habe bei Mikey keine Bereitschaft gesehen, ihr Verhalten anzupassen. Und das schadete dem Team. Daher habe ich sie aufgefordert, das Unternehmen zu verlassen.«

Keiner sagte etwas. Alle schauten sich nur an und sahen auch die frisch gesetzten Broschüren, die immer noch auf dem Tisch lagen.

Schließlich sprach Carlos: »Donnerwetter! Ich weiß gar nicht, was ich jetzt sagen soll. Wie hat sie's denn aufgenommen? Und was machen wir nun in puncto Marketing?«

Nick verlängerte die Liste der Fragen noch: »Was sagen wir denn unseren Mitarbeitern? Und der Presse?«

Obwohl sie über die Reaktionen überrascht war, lieferte Kathryn rasch eine Antwort: »Über Mikeys Reaktion möchte ich nicht viel sagen. Sie war etwas überrascht und etwas ärgerlich. Wie es eben so ist in solchen Situationen.«

Die Gruppe wartete, dass sie sich zu den anderen Punkten äußerte.

Kathryn fuhr fort: »Im Marketing werden wir uns eine neue Bereichsleitung suchen. Und bis es so weit ist, haben wir genug starke Leute, die den Laden so lange am Laufen halten können, da habe ich keine Sorge.«

Alle verarbeiteten Kathryns Erläuterungen und schienen zuzustimmen.

»Mitarbeitern und Presse können wir nur sagen, dass Mikey sich neuen Aufgaben zugewandt hat. Da haben wir wenig Spielraum, denn da geht es schnell in den Bereich der sensiblen Informationen. Aber über die ersten Reaktionen brauchen wir uns, glaube ich, keine großen Sorgen zu machen. Wenn wir uns anstrengen und Fortschritte erzielen, werden sowohl Mitarbeiter als auch Analysten zufrieden sein. Und allzu überrascht wird wohl auch keiner sein, insbesondere die Mitarbeiter nicht.«

So selbstsicher Kathryn auch auftrat und so logisch ihre Überlegungen auch klangen, die Stimmung im Raum blieb doch gedrückt. Sie wusste, sie würde einiges aufbieten müssen, um die Leute wieder ans Arbeiten zu bekommen. Sie ahnte nicht, wie viel Arbeit ihr noch bevorstand, bis das Thema Mikey endgültig vom Tisch war.

Schwerstarbeit

Den Rest des Abends und bis zum folgenden Nachmittag konzentrierte sich die Gruppe auf geschäftliche Details, mit dem besonderen Schwerpunkt Verkauf. Auch wenn sie offensichtlich Fortschritte machten, konnte Kathryn doch nicht bestreiten, dass Mikeys Weggang die Atmosphäre weiterhin belastete. Sie beschloss, sich in die Gefahrenzone zu begeben.

Nach dem Essen wandte sich Kathryn an die Gruppe: »Ich möchte ein paar Minuten dem Thema widmen, das hier immer noch im Raum schwebt. Ich würde gern von jedem wissen, was er oder sie über Mikeys Weggang denkt. Wir müssen schließlich dafür sorgen, dass wir als Team auftreten, wenn ich nächste Woche vor das Unternehmen trete, um die Sache zu erklären.« Es erstaunte sie zwar jedes Mal, aber die Erfahrung hatte Kathryn doch gelehrt, dass der Weggang selbst des schwierigsten Mitarbeiters unter den Kollegen oft ein gewisses Gefühl der Trauer und der Selbstzweifel auslöste.

Die Teammitglieder schauten in die Runde, wer denn wohl als Erster etwas sagen würde. Es war Nick: »Ich würde sagen, ich bin einfach etwas besorgt, weil wir ja jetzt noch ein Mitglied des Managementteams verloren haben.«

Kathryn nickte, um Verständnis für seine Besorgnis auszudrücken, obwohl sie in Wirklichkeit am liebsten gesagt hätte: *Aber sie ist doch nie ein Mitglied dieses Teams gewesen!*

Jane fügte hinzu: »Sie war natürlich eine schwierige Persönlichkeit. Aber die Qualität ihrer Arbeit war doch gut. Und Marketing ist gerade jetzt wichtig. Vielleicht hätten wir sie einfach doch noch ein Weilchen ertragen sollen.«

Kathryn nickte zum Zeichen, dass sie zuhörte: »Weitere Meinungen?«

Martin hob ein wenig die Hand, als zögerte er, etwas zu sagen, das er eigentlich gar nicht sagen wollte: »Ich frage mich halt, wer jetzt der Nächste ist.«

Kathryn machte eine kleine Pause, bevor sie antwortete: »Ich erzähle Ihnen jetzt mal eine kleine Geschichte über mich selbst. Eine Geschichte, auf die ich nicht gerade stolz bin.«

Damit hatte sie die Aufmerksamkeit aller.

Sie runzelte ein wenig die Stirn, als hätte sie eigentlich lieber nicht erzählt, was jetzt folgen sollte: »Im letzten Vierteljahr meines Studiums hatte ich eine Stelle als freie Mitarbeiterin bei einer bekannten Einzelhandelsfima in San Francisco. Ich habe da eine kleine Abteilung mit Finanzsachbearbeitern geleitet. Das war meine erste richtige Managementposition, und ich hoffte auf eine Festanstellung nach dem Studium.«

Auch wenn Kathryn als Rednerin vor Publikum nur mäßig begabt war, hatte sie doch ihren Spaß daran, Geschichten zu erzählen: »Ich hatte eine Gruppe mit recht guten Leuten geerbt. Alle waren ziemlich fleißig, aber einer ganz besonders. Ich nenne ihn hier mal Fred. Der produzierte immer mehr und bessere Berichte als alle anderen und wurde mein zuverlässigster Mitarbeiter.«

»Klingt wie ein Problem, das ich gern hätte«, meinte Nick.

Kathryn zog die Augenbrauen hoch: »Die Geschichte ist ja noch nicht zu Ende! Niemand in der Abteilung konnte Fred ausstehen. Und ehrlich gesagt nervte er mich auch ziemlich. Er half absolut niemandem bei der Arbeit und sorgte dafür, dass alle ganz genau sahen, wie viel besser er war. Was auch keiner bestreiten konnte, nicht einmal seine ärgsten Feinde. Na, jedenfalls beschwerten sich meine Leute immer wieder bei mir über Fred. Ich hörte ihnen zu und sprach ihn sogar mal halbherzig darauf an, dass er doch versuchen solle, sein Verhalten zu ändern. Aber weitgehend ignorierte ich sie einfach, weil mir klar war, dass seine Begabung sie ärgerte. Und vor allem wollte ich auch nicht mein bestes Pferd im Stall tadeln.«

Alle schienen sich gut in sie hineinversetzen zu können.

Kathryn fuhr fort: »Irgendwann begann dann der Output der Abteilung zu sinken, und ich gab einen immer größeren Teil der Aufträge an Fred, der sich zwar ein wenig beschwerte, aber dann doch alles irgendwie schaffte. In meinen Augen war er die Stütze der Abteilung. Ziemlich bald begann die Moral in der Abteilung immer weiter zu sinken und unsere Leistung wurde noch schlechter. Wieder kamen einige Sachbearbeiter zu mir, um sich über Fred zu beschweren, und mir wurde klar, dass er weit mehr zu den Problemen der Gruppe beitrug, als ich gedacht hatte. Nach einer schlaflosen, durchgrübelten Nacht traf ich dann meine erste große Entscheidung.«

Jeff riet: »Sie haben ihn rausgeschmissen.«

Kathryn schüttelte beschämt den Kopf: »Nein. Ich habe ihn befördert.«

Rund um den Tisch klappten die Kinnladen herunter.

Kathryn nickte: »Ja, das stimmt. Fred war meine erste Beförderung als Managerin. Zwei Wochen darauf kündigten drei meiner sieben Sachbearbeiter. Die Abteilung versank im Chaos. Wir gerieten mit unserer

Arbeit immer weiter in Rückstand. Mein Manager zitierte mich zu sich und wollte wissen, was los war. Ich erklärte ihm die Situation mit Fred und wie ich meine Mitarbeiter verloren hatte. Am nächsten Tag traf er seinerseits eine große Entscheidung.«

Jeff riet erneut: »Er hat ihn rausgeschmissen!«

Kathryn scherzte leicht gequält: »Fast. Er hat *mich* rausgeschmissen.«

Der Stab wirkte überrascht. Jane wollte, dass Kathryn sich besser fühlte: »Aber freie Mitarbeiter können doch nicht entlassen werden.«

Kathryn wurde mit einem Mal sarkastisch: »Na gut, sagen wir halt, dass mein Auftrag abrupt beendet war und sie sich nie die Mühe machten, mich wiederzubekommen.«

Nick und Martin grinsten, bemüht, nicht loszulachen. Kathryn führte den Gedanken für sie zu Ende: »Ich wurde definitiv rausgeschmissen.«

Alle im Raum lachten.

Jeff wollte wissen: »Und was wurde mit Fred?«

»Ich habe gehört, dass er drei Wochen später gekündigt haben soll. Ein neuer Manager wurde eingestellt, der die Abteilung führen sollte. Und binnen eines Monats stieg die Leistung dramatisch an, obwohl die Abteilung ja jetzt drei Sachbearbeiter weniger hatte.«

»Wollen Sie damit sagen, dass die Leistung der Gruppe allein durch Freds Verhalten um 50 Prozent gesunken war?«

»Nein, nicht durch Freds Verhalten.«

Die Gruppe war verwirrt.

»Sondern dadurch, dass ich sein Verhalten toleriert habe. Hören Sie, die haben genau die Richtige gefeuert!«

Keiner sagte etwas. Alle schienen den Schmerz ihrer Chefin zu spüren und zogen die offensichtliche Verbindung zwischen Kathryns Geschichte und den Ereignissen des Vortags.

Nach ein paar Momenten schloss Kathryn dann ihre Lektion ab: »Ich habe nicht vor, einen von Ihnen zu verlieren! Und das ist auch der Grund, warum ich so gehandelt habe.«

Jetzt schienen alle zu verstehen.

Aufschwung

Als sie wieder im Büro waren, hielt Kathryn eine Betriebsversammlung ab, auf der über Mikeys Weggang und andere Unternehmensangelegenheiten diskutiert wurde. Trotz ihrer typischen taktvollen und liebenswürdigen Art verursachte die Nachricht unter den Mitarbeitern doch mehr Besorgnis, als die Manager erwartet hatten. Und obwohl sie sich einig waren, dass diese Reaktion mehr mit ihrer symbolischen Bedeutung zu tun hatte als mit Mikeys Verlust im Besonderen, erhielt der Enthusiasmus des Teams doch einen Dämpfer.

Auf der nächsten Stabskonferenz ließ Kathryn die Gruppe daher mehr als eine Stunde lang über die Frage diskutieren, wie die Marketingchefin ersetzt werden sollte. Nach einer hitzigen Debatte über die Frage, ob jemand aus Mikeys Abteilung befördert werden sollte, schritt Kathryn ein, um zu einer Entscheidung zu kommen.

»O. K., das war eine gute Diskussion. Ich denke, ich habe jetzt alle Ansichten gehört. Hat noch jemand etwas hinzuzufügen?«

Keiner sagte etwas, und Kathryn fuhr fort: »Ja, ich glaube, wir brauchen eine Leitung, mit der die Abteilung wachsen kann und die uns auch beim Aufbau einer Marke hilft. Und so gern ich auch jemanden intern befördern würde, so sehe ich doch im Moment niemanden in der Abteilung, der so etwas auch nur annähernd leisten könnte. Daher denke ich, wir müssen uns eine neue Bereichsleiterin oder einen neuen Bereichsleiter suchen.«

Alle Köpfe in der Runde nickten zustimmend, auch bei denjenigen, die zuvor gegen eine externe Stellenbesetzung gewesen waren.

»Aber ich kann Ihnen versichern, wir werden die richtige Person finden. Das bedeutet, jeder von uns wird Kandidaten interviewen und darauf hinarbeiten, eine Person zu finden, die Vertrauen zeigt, Konflikte ausficht, Gruppenentscheidungen mitträgt, Kollegen zur Verantwortung zieht sowie sich auf Teamergebnisse konzentriert und diese über das eigene Ego stellt.«

Kathryn war sicher, dass ihr Stab begonnen hatte, ihrer Theorie zuzustimmen. Nachdem sie Jeff damit beauftragt hatte, die Suche nach der neuen Bereichsleitung zu organisieren, wechselte sie zum Thema Verkauf über.

Nick berichtete, dass an einigen wichtigen aussichtsreichen Fronten Fortschritte erzielt worden seien, in anderen Teilen des Landes aber noch gekämpft werde: »Ich denke, wir brauchen mehr Füße auf der Straße.«

Jane war klar, dass Nick mehr Geld wollte, und versuchte seinen Überlegungen sofort einen Riegel vorzuschieben: »Ich möchte die Ausgaben nicht noch weiter erhöhen, denn das bedeutet doch nur, dass auch Ihre Quoten in die Höhe gehen. Wir wollen doch nicht in eine Todesspirale geraten.«

Nick atmete einmal tief durch und schüttelte dann genervt den Kopf, als wollte er sagen: *Geht das nun schon wieder los!* Und ehe man sich's versah, waren Nick und Jane schon in einen handfesten Streit verwickelt und versuchten einander sowie den Rest der Gruppe zu überzeugen, dass die eigene Ansicht die richtige war.

Als es nicht mehr weiterging, warf sich Jane frustriert in ihren Stuhl zurück und rief aus: »Hier hat sich doch überhaupt nichts verändert! Vielleicht war ja doch nicht Mikey das Problem.«

Das wirkte ernüchternd auf die Gruppe.

Da schritt Kathryn ein und rief lächelnd: »Halt, halt! Es läuft doch alles gut! Das ist doch genau die Art von Konflikt, über die wir den letzten Monat geredet haben. Da ist nichts Falsches dran!«

Jane versuchte zu erklären: »Ich kann es aber irgendwie nicht so sehen. Für mich fühlt sich das immer noch so an, als würden wir streiten.«

»Sie streiten ja auch. Aber über Sachthemen. Und das ist Ihr Job. Anderenfalls würden Sie es auf Ihre Leute abwälzen, Probleme zu lösen, die sie gar nicht lösen können. Die möchten gern, dass wir das unter uns ausmachen, damit sie dann klare Vorgaben bekommen.«

Jane sah müde aus: »Ich hoffe nur, dass sich das auch lohnt!«

Kathryn lächelte wieder: »Vertrauen Sie mir! Das lohnt sich in mehr Hinsichten, als Sie ahnen!«

In den folgenden zwei Wochen begann Kathryn dann schärfer auf das Verhalten ihres Teams zu achten als je zuvor. Sie warf Martin vor, das gegenseitige Vertrauen zu untergraben, indem er in Konferenzen allzu selbstgefällig auftrat. Sie zwang Carlos, die Gruppe mit ihrer mangelnden Sensibilität für Kundenfragen zu konfrontieren. Und sie machte mit Jane und Nick mehr als einen Abend lang Überstunden, um Budgetkämpfe auszutragen, die ausgetragen werden mussten.

Aber noch wichtiger als alles, was Kathryn tat, war die Reaktion, die sie erfuhr. So widerwillig die Leute auch im ersten Moment erschienen, es stellte doch niemand die Dinge infrage, die Kathryn von ihnen verlangte. Es schien ein echtes Gefühl für das Gruppenziel zu geben.

Die einzige Frage, die sich Kathryn noch stellte, war, ob sie diesen Geist so lange wachhalten konnte, bis für alle auch die Ergebnisse zu sehen waren.

Teil IV
DIE MASSNAHMEN BEGINNEN ZU GREIFEN

Ertrag

Der letzte von Kathryns externen Workshops im Napa Valley hatte zwar eine andere Atmosphäre als die voherigen, begann aber wieder mit der altvertrauten Ansprache: »Wir haben erfahrenere Manager als alle unsere Wettbewerber. Wir haben mehr Geld als sie. Dank Martin und seinem Team haben wir auch die bessere technische Basis. Und wir haben einen besser vernetzten Vorstand. Und trotzdem liegen wir in puncto Umsatz und Kundenwachstum hinter zwei unserer Konkurrenten zurück. Und ich denke, wir wissen alle, woran das liegt.«

Nick hob die Hand: »Kathryn, ich wünschte wirklich, Sie würden endlich einmal damit aufhören, diese Ansprache zu halten!«

Noch einen Monat zuvor wären alle im Raum bei einer derart schroffen Bemerkung geschockt gewesen. Aber jetzt wirkte niemand beunruhigt.

»Wie kommt's?«, wollte Kathryn wissen.

Nick runzelte die Stirn und versuchte, die rechten Worte zu finden: »Ich würde sagen, vor ein paar Wochen war das ja noch angebracht, weil wir da alle irgendwie noch ...« Nick brauchte den Satz nicht zu beenden.

Kathryn erklärte so nett sie konnte: »Ich werde diese Ansprache nicht mehr halten, sobald sie nicht mehr zutrifft. Aber wir liegen immer noch hinter zwei unserer Konkurrenten zurück. Und wir sind auch als Team noch nicht da, wo wir hinmüssen.«

Kathryn fuhr fort: »Aber das soll nicht heißen, dass wir nicht auf dem richtigen Weg wären. In der Tat werden wir heute als Allererstes mal einen Schritt zurücktreten, um zu schauen, wo wir inzwischen als Team stehen.«

Kathryn ging wieder zu der weißen Tafel und zeichnete das Dreieck an, das sie dann mit den fünf Dysfunktionen ausfüllte.

Dann fragte sie: »Wie machen wir uns?«

Das Team überlegte, während es noch einmal das Modell studierte.

Schließlich sprach Jeff als Erster: »Wir vertrauen uns mit Sicherheit mehr als noch vor einem Monat.« Vom Kopfnicken im Raum begleitet, vollendete Jeff seinen Gedanken: »Obwohl ich denke, es wäre noch zu früh zu sagen, dass da nichts mehr zu verbessern ist.« Das Kopfnicken hielt an.

Jane ergänzte: »Und wir wagen uns auch mehr an Konflikte heran. Obwohl ich nicht behaupten könnte, dass ich mich daran schon wirklich gewöhnt hätte.«

Kathryn beruhigte sie: »Ich glaube, an Konflikte gewöhnt man sich nie richtig. Wenn so etwas nicht ein bisschen unbehaglich ist, dann ist es auch nicht echt. Das Entscheidende ist dann aber, dass man es trotzdem tut.«

Jane akzeptierte die Erklärung.

Nick ergriff das Wort: »Ich denke, in puncto Engagement haben wir definitiv schon viel erreicht, was das Zustimmen zu bzw. Akzeptieren von Zielen und Vorgaben betrifft. Das ist kein Problem. Was mir noch am wenigsten gefällt, ist der nächste Punkt: andere zur Verantwortung ziehen.«

»Wieso«, fragte Jeff.

»Weil ich mir nicht wirklich sicher bin, dass wir bereit sind, es anderen ins Gesicht zu sagen, wenn sie ihre Leistung nicht erbringen oder gegen das Wohl des Teams zu handeln drohen.«

»Also *ich* werde das mit Sicherheit jedem ins Gesicht sagen!«

Zu aller Überraschung war es Martin, der diesen Kommentar abgab. Er erklärte: »Ich glaube nicht, dass ich mich noch mal mit der Art und Weise abfinden werde, wie die Dinge hier früher gelaufen sind. Und wenn ich mich da zwischen ein bisschen zwischenmenschlichem Unbehagen und dem Taktieren entscheiden muss, dann bin ich ohne Weiteres dazu bereit, das Unbehagen auszuhalten.«

Nick lächelte über seinen schrulligen Kollegen und brachte das Modell zum Abschluss: »Ein Ergebnis-Problem werden wir hier, glaube ich, nicht bekommen. Denn hier kommt keiner unbeschadet davon, wenn wir den Laden nicht ans Laufen bringen.«

Kathryn war noch nie so froh gewesen, einen ganzen Raum mit Leuten zu sehen, die in aller Einigkeit mit dem Kopf nickten. Trotzdem entschied sie sich dafür, den Überschwang des Teams ein wenig zu dämpfen.

»Hören Sie, ich bin in den meisten Punkten mit Ihnen einig. Wir bewegen uns als Team in die richtige Richtung. Und trotzdem möchte ich Ihnen versichern, dass es in den nächsten Monaten so manchen Tag geben wird, an dem Sie sich fragen werden, ob wir überhaupt irgendwelche Fortschritte gemacht haben. Es braucht mehr als ein paar Wochen Verhaltensänderung, bis sich der Erfolg auch in der Bilanz niederschlägt.«

Das Team pflichtete ihr für ihren Geschmack ein bisschen zu schnell bei. Sie entschied sich, die Gruppe nochmals aufzurütteln: »Ich sage Ihnen das, weil wir noch nicht aus dem Gröbsten heraus sind. Ich habe schon etliche Gruppen gesehen, die schon viel weiter waren als wir und trotzdem wieder abgerutscht sind. Es geht hier um Disziplin und Beharrlichkeit.«

So ungern Kathryn der Gruppe die Stimmung vermiesen wollte, so froh war sie doch, dass sie sie auch auf die schlechten Tage vorbereitet hatte, die unweigerlich für jedes Team kommen, das seine Dysfunktionen ablegen will. Denn in den nächsten zwei Tagen erlebte die Gruppe genau solche Zeiten. Zuweilen arbeitete das Team im Geist bester Kooperation, zuweilen schien man sich gegenseitig an die Gurgel gehen zu wollen, als das Team diverse geschäftliche Probleme durchfocht und zum Abschluss brachte. Erstaunlicherweise thematisierte die Gruppe dabei fast nie die Idee des Teamworks selber. Das nahm Kathryn als Zeichen dafür, dass man Fortschritte machte. Zwei Beobachtungen, die sie in Pausen und während des Essens machte, bestärkten sie darin.

Erstens blieb man zusammen und ging nicht auseinander wie bei vorherigen externen Workshops. Und zweitens ging es viel lauter zu als bisher, wobei eines der vorherrschenden Geräusche Gelächter war. Und obwohl zum Schluss der Sitzung alle erkennbar müde waren, schienen doch alle Wert darauf zu legen, gleich Anschlusstreffen für die Zeit danach im Büro zu vereinbaren.

Charaktertest

Drei Monate nach dem letzten externen Workshop hielt Kathryn mit dem Stab in einem Hotel vor Ort ihre erste zweitägige Quartalskonferenz ab. Der neue Bereichsleiter Marketing, Joseph Charles, war vor einer Woche zu DecisionTech gestoßen und nahm nun an seinem ersten Meeting mit der Gruppe teil.

Kathryn begann das Treffen mit einer Bekanntmachung, auf die niemand gefasst war: »Erinnern Sie sich noch an Green Banana, das Unternehmen, über dessen möglichen Kauf wir im letzten Quartal gesprochen hatten?«

Kopfnicken am Tisch.

»Tja, offensichtlich hatte Nick Recht mit seiner Einschätzung, dass die ein möglicher Konkurrent für uns sind. Die wollen uns übernehmen!«

Mit Ausnahme von Jeff, der im Vorstand saß und von dem Angebot bereits erfahren hatte, waren alle geschockt. Am meisten Nick: »Ich dachte, die wären finanziell in Schwierigkeiten?«

»Waren sie auch«, erklärte Kathryn. »Ich nehme an, dass sie im letzten Monat an eine Wagenladung Geld gekommen sind, und jetzt sind sie auf einmal scharf darauf, irgendetwas dafür zu kaufen. Sie haben uns schon ein Angebot gemacht.«

»Und wie sieht das Angebot aus?«, erkundigte sich Jane.

Kathryn schaute in ihre Aufzeichnungen: »Es liegt ein ganzes Stück über unserem aktuellen Marktwert. Wir würden alle einen ziemlich guten Schnitt dabei machen.«

Jane drängte auf weitere Informationen: »Und was hat der Vorstand gesagt?«

»Der überlässt die Entscheidung uns«, antwortete Jeff für Kathryn.

Niemand sagte etwas. Es war, als wären alle dabei, sich ihre möglichen Abfindungen auszurechnen und das Angebot richtig einzuordnen.

Auf einmal brach eine fast wütende Stimme mit britischem Akzent die Stille: »Auf gar keinen Fall!«

Alle Gesichter wandten sich ihrem technischen Leiter zu. Der sprach mit einer Leidenschaft, die sie noch nie an ihm erlebt hatten: »Auf gar keinen Fall werde ich das hier alles aufgeben und es irgendeinem seltsamen Unternehmen überlassen, das nach einer unreifen Südfrucht benannt ist!«

Die Gruppe brach in Gelächter aus.

Jane holte sie zurück auf den Boden der Tatsachen: »Ich finde, wir sollten die Sache nicht so rasch abtun. Es gibt keine Garantie dafür, dass wir letztlich Erfolg haben. Das Angebot bedeutet echtes Geld!«

Und Jeff ergänzte das Argument seiner Finanzchefin noch: »Der Vorstand betrachtet das jedenfalls nicht als schlechtes Angebot.«

Martin wollte gar nicht glauben, was Jeff da sagte: »Ja, und warum überlassen sie die Entscheidung dann uns?«

Jeff überlegte erst einen Moment, bevor er erklärte: »Weil sie wissen wollen, ob wir Feuer im Bauch haben.«

»Ob wir was?«, erkundigte sich Martin.

Jeff erläuterte für seinen britischen Kollegen: »Sie wollen wissen, ob wir wirklich hier sein wollen. Ob wir uns wirklich für das Unternehmen engagieren und damit identifizieren. Und mit dieser Gruppe.«

Joseph fasste zusammen: »Klingt wie ein Charaktertest.«

Carlos sprach zum ersten Mal auf diesem Treffen: »Ich stimme dagegen.«

Jeff war der Nächste: »Ich auch. Absolut.«

Nick nickte. Kathryn und Joseph ebenfalls.

Martin sah Jane an: »Und was sagen Sie?«

Jane zögerte einen Augenblick: »Green Banana? Soll das ein Witz sein?«

Alle lachten.

Schnell leitete Kathryn auf ein anderes Thema über, weil sie den Schwung des Augenblicks nutzen und ihn auf geschäftliche Fragen lenken wollte: »O. K., wir haben noch jede Menge andere wichtige Themen abzuhandeln heute. Fangen wir an!«

In den nächsten Stunden machte die Gruppe Joseph mit den fünf Dysfunktionen eines Teams bekannt. Nick erläuterte die Bedeutung von Vertrauen. Jane und Jeff übernahmen zusammen die Punkte Konflikte und Engagement. Carlos beschrieb, was es mit Verantwortung und Rechenschaft im Rahmen eines Teams auf sich hat, und Martin übernahm abschließend das Thema Ergebnisorientierung. Dann sahen sie sich Josephs Ergebnisse im Myers-Briggs-Test an und erläuterten anschließend die Rollen und Aufgaben seiner neuen Kollegen sowie ihre Gruppenziele.

Am wichtigsten war aber, dass Joseph im Verlauf des restlichen Tages die leidenschaftlichsten Debatten sah, die er je erlebt hatte, die alle auch mit glasklaren Vereinbarungen abgeschlossen wurden und ohne dass ein Anflug von Verbitterung zurückblieb. Ein-, zweimal machte man sich gegenseitig dermaßen zur Schnecke, dass Joseph leicht unbehaglich zumute war, aber die Diskussion blieb immer auf Ergebnisse konzentriert.

Am Ende des Tages hatte Joseph den Eindruck gewonnen, dass er hier in einem der ungewöhnlichsten und engagiertesten Managementteams gelandet war, die er je gesehen hatte, und konnte es kaum erwarten, selbst aktiver Teil davon zu werden.

An die Arbeit

Im Laufe des nächsten Jahres konnte DecisionTech seine Verkäufe dramatisch steigern und erreichte in drei von vier Quartalen seine Umsatzziele. Das Unternehmen zog praktisch gleich mit der Nummer eins der Branche, musste sich von seinem Hauptkonkurrenten aber noch absetzen.

Mit der deutlich verbesserten Leistung sank auch die Fluktuation unter den Mitarbeitern, und die Arbeitsmoral stieg zusehends, mit einem kleinen Durchhänger, als das Unternehmen einmal seine Zahlen nicht erreichte.

Interessanterweise rief in dieser Situation sogar der Vorstandsvorsitzende bei Kathryn an, um sie aufzurichten und ihr zu sagen, dass sie angesichts der unbestreitbaren Fortschritte nicht allzu enttäuscht sein solle.

Als die Größe von 250 Mitarbeitern erreicht war, beschloss Kathryn, es sei an der Zeit, die Zahl der Manager zu reduzieren, die ihr direkt unterstellt waren. Sie war der Überzeugung, je größer das Unternehmen, desto kleiner sollte das Team an der Spitze sein. Und mit einem neuen Verkaufschef und einem neuen Personalleiter war ihr Stab inzwischen auf die kaum noch handhabbare Zahl von acht Personen angewachsen. Nicht, dass Kathryn die wöchentlichen Vieraugengespräche nicht mehr leisten konnte, aber es wurde zunehmend schwierig, auf Stabskonferenzen flüssige und substanzielle Diskussionen zu führen, wenn neun Leute um den Tisch herumsaßen. Auch angesichts des jetzt herrschenden Gruppengeists unter den Teammitgliedern war es nur eine Frage der Zeit, bis es da zu Schwierigkeiten kam.

Ein gutes Jahr nach ihrem letzten externen Workshop im Napa Valley nahm Kathryn daher einige organisatorische Veränderungen vor, die sie behutsam, aber bestimmt jedem ihrer Stabsmitglieder erklärte. Nick sollte nun wieder die Rolle des Chief Operating Officer übernehmen, nachdem er endlich das Gefühl hatte, dass er sich diesen Titel auch verdient hatte. Carlos und der neue Verkaufschef wurden ihm zugeordnet und gehörten damit nicht mehr dem Stab der Geschäftsführerin an. Und die Personalabteilung wurde Jane zugeschlagen, sodass Kathryn jetzt noch fünf direkte Mitarbeiter blieben: Martin als technischer Leiter, Jane als Finanzchefin, Nick als Chief Operating Officer beziehungsweise Betriebsleiter, Joseph als Bereichsleiter Marketing und Jeff als Leiter geschäftliche Entwicklung.

Eine Woche später fand wieder eine von Kathryns zweitägigen Quartalskonferenzen mit dem Managementstab statt. Bevor Kathryn das Meeting eröffnen konnte, wollte Jane schon wissen: »Wo ist denn Jeff?«

Kathryn antwortete ganz geschäftsmäßig: »Ja, das wollte ich gleich als Erstes sagen: Jeff wird nicht mehr zu unseren Konferenzen kommen.«

Der Raum war erschüttert. Sowohl darüber, was Kathryn gesagt hatte, als auch über den emotionslosen Ton, in dem sie es vorgebracht hatte.

Schließlich stellte Jane die Frage, die alle bewegte: »Hat Jeff gekündigt?«

Kathryn wirkte ein wenig überrascht von der Frage: »Nein.«

Martin hakte nach: »Sie haben ihn doch wohl nicht entlassen?«

Plötzlich begriff Kathryn, worauf alle hinauswollten: »Nein, natürlich nicht! Warum sollte ich denn Jeff wohl entlassen? Nein, er wird künftig Nicks Bereich zugeordnet sein. Angesichts seiner neuen Rolle waren er und ich uns darüber einig, dass das am sinnvollsten ist.«

Auch wenn nun alle erleichtert wirkten, dass ihre schlimmsten Befürchtungen zerstreut waren, gab es aber doch noch etwas, das allen auf der Seele lag.

Jane konnte sich nicht länger zurückhalten: »Kathryn, ich sehe ja auch, dass das Sinn macht. Und ich bin auch ehrlich überzeugt, dass Nick begeistert sein wird, Jeff im Team zu haben.«

Nick nickte zustimmend, und Jane fuhr fort: »Aber glauben Sie denn nicht, dass er jetzt enttäuscht sein wird, weil er Ihnen nicht mehr direkt zugeordnet ist? Ich meine, ich weiß ja, dass wir nicht so auf Status und Ego und so weiter achten sollen, aber er ist immerhin Vorstandsmitglied und Mitgründer. Haben Sie denn auch daran gedacht, was das für ihn bedeutet?«

Kathryn lächelte stolz und war froh, dass sie nun gezwungen war zu sagen, was sie die ganze Zeit schon hatte sagen wollen: »Leute, das war Jeffs eigene Idee!«

Darauf war nun wirklich niemand gekommen. Kathryn fuhr fort: »Er sagte, so gern er auch im Team geblieben wäre, er finde es sinnvoller, wenn er Nicks Gruppe zugeordnet werde. Ich habe ihm ja sogar angeboten, seine Meinung noch mal zu überdenken, aber er beharrte darauf, dass das so am besten für das Unternehmen und Team sei.«

Kathryn ließ ihr Team erst einmal eine Weile still den Respekt für ihren ehemaligen Geschäftsführer genießen.

Erst dann fuhr Kathryn fort: »Ich finde, wir sind es Jeff und allen anderen hier im Unternehmen schuldig, dass wir dazu beitragen, dass das auch funktioniert. Fangen wir an!«

DAS MODELL

So schwierig es auch ist, ein funktionierendes Team zu bilden, etwas Kompliziertes ist eigentlich nicht dabei. Im Gegenteil, es ist sogar entscheidend, die Dinge so einfach wie möglich zu halten, ganz gleich, ob Sie nun den Führungsstab eines multinationalen Unternehmens leiten, der Abteilung eines Betriebes vorstehen oder einfach nur Mitglied eines Teams sind, das ein wenig Verbesserung vertragen könnte. In diesem Sinne will dieser Teil des Buches Ihnen als klarer, präziser und praktischer Ratgeber dienen, wie Sie das Modell der fünf Dysfunktionen zur Verbesserung Ihres Teams einsetzen können. Viel Glück!

Übersicht über das Modell

Im Laufe meiner langjährigen Zusammenarbeit mit den Geschäftsführerinnen und Geschäftsführern von Unternehmen und ihren Teams sind mir zwei grundlegende Wahrheiten klar geworden. Erstens ist echtes Teamwork in den meisten Unternehmen so schwer zu finden wie eh und je. Zweitens erreichen organisatorische Einheiten dann kein echtes Teamwork, wenn sie unbewusst in die ganz natürlichen, aber gleichwohl gefährlichen Fallen tappen, die ich die fünf Dysfunktionen eines Teams nenne.

Diese Dysfunktionen könnten fälschlich als fünf einzelne Probleme aufgefasst werden, die sich isoliert voneinander angehen lassen. Aber in Wirklichkeit bilden sie ein zusammenhängendes Modell, bei dem schon die Anfälligkeit für eine einzelne Dysfunktion potenziell fatal für den Erfolg des Teams sein kann. Ein grober Überblick über die einzelnen Dysfunktionen und ihr Zusammenwirken im Modell soll das klarmachen.

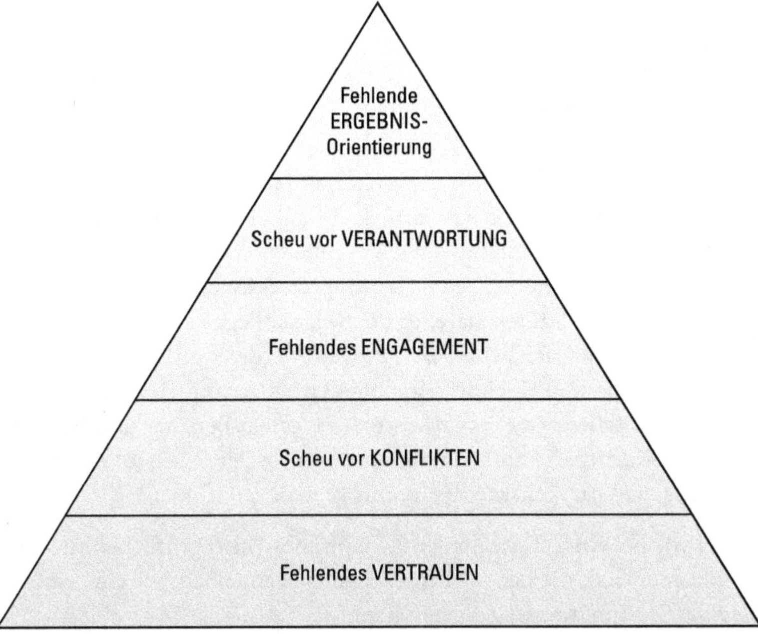

1. Die erste Dysfunktion ist **fehlendes Vertrauen** unter den Teammitgliedern. Im Wesentlichen ist das auf fehlende Bereitschaft zur Offenheit innerhalb der Gruppe zurückzuführen. Wenn Teammitglieder untereinander nicht wirklich offen mit ihren Fehlern und Schwächen umgehen, dann machen sie es unmöglich, ein Fundament des Vertrauens aufzubauen.

2. Diese Unfähigkeit Vertrauen aufzubauen ist deshalb schädlich, weil sie den Ton für die zweite Dysfunktion vorgibt: **Scheu vor Konflikten.** Teams, denen das Vertrauen fehlt, sind nicht in der Lage, in die ungefilterte und leidenschaftliche Debatte von Ideen einzutreten. Stattdessen kommt es zu verschleierten Diskussionen und zurückhaltenden Kommentaren.

3. Dieser Mangel an gesunden Konflikten ist deshalb ein Problem, weil er zwangsläufig zur dritten Dysfunktion eines Teams führt: **fehlendes Engagement.** Wenn die Mitglieder des Teams nicht in offener und leidenschaftlicher Debatte ihre Meinungen zum Ausdruck bringen konnten, werden sie auch kaum die Entscheidungen akzeptieren, ihnen zustimmen und sie engagiert mittragen, selbst wenn sie während der Besprechung ihre Zustimmung vortäuschen sollten.

4. Der Mangel an Engagement und echter Zustimmung führt bei den Teammitgliedern dann zur vierten Dysfunktion: **Scheu vor Verantwortung.** Ohne echtes Engagement für einen klaren Handlungsplan scheuen selbst die sachorientiertesten und getriebensten Teammitglieder oft davor zurück, Teamkollegen zur Rede zu stellen, wenn sie Handlungs- und Verhaltensweisen an den Tag legen, die für das Wohl des Teams kontraproduktiv erscheinen.

5. Und in einer Atmosphäre, in der Teamkollegen nicht zur Verantwortung und Rechenschaft gezogen werden, gedeiht die fünfte Dysfunktion. **Fehlende Ergebnis-Orientierung** bedeutet, dass Teammitglieder die Bedürfnisse der eigenen Person (zum Beispiel Ego, Karriere, Anerkennung) oder auch der eigenen Abteilung über die Gruppenziele des Teams stellen.

Und wie bei einer Kette, in der ein einzelnes Glied gebrochen ist, verschlechtert sich die Leistung eines Teams, wenn auch nur eine einzelne der Dysfunktionen gedeihen kann.

Eine andere Möglichkeit, das Modell zu verstehen, besteht darin, den umgekehrten Weg zu gehen – den positiven Weg – und sich vorzustellen, wie sich die Mitglieder eines wirklich funktionierenden Teams verhalten:

1. Sie vertrauen einander.
2. Sie tragen ungefilterte Konflikte um Ideen aus.
3. Sie engagieren sich für ihre Entscheidungen und Handlungspläne.
4. Sie ziehen einander zur Verantwortung, wenn jemand von ihnen diesen Plänen zuwiderhandelt.
5. Sie konzentrieren sich auf das Erreichen der Gruppenziele.

Falls das simpel klingen sollte, dann liegt das daran, dass es simpel ist – zumindest in der Theorie. In der Praxis dagegen ist das Ganze äußerst schwierig, denn es erfordert ein Maß an Disziplin und Beharrlichkeit, das nur wenige Teams aufbringen.

Vor einer näheren Betrachtung der einzelnen Dysfunktionen und der Erkundung von Möglichkeiten zu ihrer Überwindung könnte es hilfreich sein, zunächst einmal das eigene Team einzuschätzen und zu erkennen, wo in der eigenen organisatorischen Einheit die Chancen auf Verbesserungen liegen.

Team-Selbsteinschätzung *

Der Fragebogen auf den folgenden Seiten ist ein einfaches Diagnose-Instrument, das Ihnen bei der Einschätzung helfen kann, wie anfällig Ihr Team für die fünf Dysfunktionen ist. Am Ende des Fragebogens, auf Seite 156, folgt eine kurze Erläuterung, wie die Ergebnisse tabellarisch anzuordnen und die möglichen Schlussfolgerungen zu interpretieren sind. Wenn möglich, sollten Sie alle Mitglieder Ihres Teams den Diagnosebogen ausfüllen und die Ergebnisse diskutieren lassen, wobei mögliche Diskrepanzen in den Antworten zu erörtern und erkennbare Konsequenzen für das Team herauszuarbeiten sind.

Anweisung: Geben Sie mithilfe der folgenden Skala an, wie weit die jeweiligen Aussagen auf Ihr Team zutreffen. Es ist wichtig, dass Sie die Aussagen ehrlich beurteilen, ohne dabei zu lange über die Antworten nachzudenken.

3 = Für gewöhnlich
2 = Manchmal
1 = Selten

    1. Die Teammitglieder diskutieren Probleme leidenschaftlich und ohne Zurückhaltung.

    2. Die Teammitglieder weisen sich auf ihre Defizite und unproduktiven Verhaltensweisen hin.

    3. Die Teammitglieder wissen, woran ihre Teamkollegen arbeiten und wie sie zum Gruppenziel des Teams beitragen.

    4. Die Teammitglieder entschuldigen sich schnell und aufrichtig, wenn sie etwas Unpassendes oder potenziell Teamschädliches gesagt oder getan haben.

    5. Die Teammitglieder bringen für das Wohl des Teams bereitwillig Opfer in ihren Abteilungen oder Fachgebieten (z. B. Budget, Zuständigkeitsbereich, Mitarbeiterzahl).

    6. Die Teammitglieder geben ihre Schwächen und Fehler offen zu.

    7. Die Teammeetings sind spannend, nicht langweilig.

    8. Die Teammitglieder gehen nach Besprechungen in der sicheren Überzeugung aus dem Meeting, dass ihre Teamkollegen die gemeinsamen Beschlüsse voll engagiert mittragen werden, auch wenn es anfangs Meinungsverschiedenheiten gab.

    9. Die Moral wird spürbar beeinträchtigt, wenn die Gruppenziele verfehlt werden.

   10. Bei den Teamsitzungen kommen die wichtigsten – und schwierigsten – Probleme zur Lösung auf den Tisch.

   11. Die Aussicht, Teamkollegen im Stich zu lassen, ist für die Teammitglieder ein Anlass zu tiefer Besorgnis.

   12. Die Teammitglieder kennen das Privatleben ihrer Teamkollegen und unterhalten sich auch ohne Weiteres darüber.

   13. Die Teammitglieder beenden Diskussionen mit klaren und genauen Beschlüssen und Handlungsaufforderungen.

____ 14. Die Teammitglieder hinterfragen die Pläne und Herangehensweisen der anderen.

____ 15. Die Teammitglieder suchen nur zurückhaltend nach Anerkennung für ihre eigenen Leistungen, erkennen die Leistungen
anderer aber bereitwillig an.

Wer an einer gründlicheren Analyse der Teamleistung interessiert ist,
für den bietet The Table Group eine umfassende Online-Team-Ein-
schätzung. Dieses »Online Team Assessment« liefert auf den Einzelfall
zugeschnittene Daten über die Stärken und Schwächen eines Teams,
Empfehlungen zur Überwindung von Dysfunktionen und spezielle
Instruktionen zum Besprechen der Ergebnisse.

Besuchen Sie für weitere Informationen
www.tablegroup.com/dysfunctions.

Auswertung

Führen Sie die Punktwerte der vorangegangenen Aussagen nach folgendem Schema zusammen:

Dysfunktion 1: Fehlendes Vertrauen	Dysfunktion 2: Scheu vor Konflikten	Dysfunktion 3: Fehlendes Engagement	Dysfunktion 4: Scheu vor Verantwortung	Dysfunktion 5: Fehlende Ergebnis-Orientierung
Aussage 4: ———	Aussage 1: ———	Aussage 3: ———	Aussage 2: ———	Aussage 5: ———
Aussage 6: ———	Aussage 7: ———	Aussage 8: ———	Aussage 11: ———	Aussage 9: ———
Aussage 12: ———	Aussage 10: ———	Aussage 13: ———	Aussage 14: ———	Aussage 15: ———
Summe: ———	**Summe:** ———	**Summe:** ———	**Summe:** ———	**Summe:** ———

Ein Ergebnis von 8 bis 9 Punkten ist ein wahrscheinlicher Hinweis darauf, dass diese Dysfunktion für Ihr Team kein Problem darstellt.

Ein Ergebnis von 6 bis 7 Punkten zeigt an, dass diese Dysfunktion ein Problem darstellen könnte.

Ein Ergebnis von 3 bis 5 Punkten weist wahrscheinlich darauf hin, dass diese Dysfunktion der Behandlung bedarf.

Unabhängig von Ihren Punktergebnissen ist wichtig, immer daran zu denken, dass jedes Team ständig an sich arbeiten muss, denn sonst tendiert auch das beste Team zur Dysfunktion.

Die fünf Dysfunktionen verstehen und überwinden

Dysfunktion 1: Fehlendes Vertrauen

Vertrauen ist die Grundlage eines funktionierenden, zusammenhaltenden Teams. Ohne Vertrauen ist Teamarbeit so gut wie unmöglich.

Leider wird das Wort *Vertrauen* so viel gebraucht – und missbraucht –, dass seine Bedeutung unscharf geworden ist und es schon fast klingt wie Friede, Freude, Eierkuchen. Daher ist es ganz wichtig, präzise zu definieren, was mit Vertrauen gemeint ist.

Im Zusammenhang mit Teambildung bedeutet Vertrauen die sichere Gewissheit, dass die Absichten der Teamkollegen gut sind und kein Grund zu Vorsicht und Zurückhaltung besteht. Im Kern müssen die Teammitglieder dahin kommen, dass sie sich wohlfühlen, wenn sie offen miteinander umgehen.

Diese Beschreibung unterscheidet sich von einer eher standardmäßigen Definition von Vertrauen, in der es um die Fähigkeit geht, aufgrund früherer Erfahrungen die Verhaltensweise einer Person vorhersagen zu können. Demnach könnte man beispielsweise darauf »vertrauen«, dass ein bestimmter Teamkollege gute Arbeit abliefern wird, weil er das in der Vergangenheit auch immer gemacht hat.

So wünschenswert das auch sein mag, so ist es doch noch nicht die Art von Vertrauen, die ein wirklich gutes Team auszeichnet. Ein solches Vertrauen erfordert vielmehr Offenheit gegenüber den Teamkollegen sowie die sichere Gewissheit, dass diese Offenheit nicht gegen die eigene Person verwendet werden wird. Offenheit, wie ich sie meine, bezieht sich unter anderem auf Schwächen, fachliche Mängel, zwischenmenschliche Probleme, Fehler und Bitten um Unterstützung.

Das mag zwar »weich« klingen, aber es ist eine Tatsache, dass die Mitglieder eines Teams erst dann ohne Sorge um den persönlichen Schutz zu arbeiten beginnen, wenn sie sich wirklich wohl dabei fühlen, offen miteinander umzugehen. In diesem Fall können sie dann all ihre Energie und Aufmerksamkeit auf die anstehende Aufgabe richten statt darauf, unaufrichtig strategisch oder taktisch mit den Kollegen umzu-gehen.

Ein solches auf Offenheit bauendes Vertrauen herzustellen ist schwie-rig, weil die meisten erfolgreichen Menschen im Lauf ihrer Karriere und Ausbildung gelernt haben, mit Kollegen zu wetteifern und auf das eigene Ansehen zu achten. Es stellt eine Herausforderung für sie dar, diese Instinkte zum Wohl des Teams auszuschalten, aber genau das ist erforderlich.

Wenn das nicht geschieht, sind die Kosten hoch. Teams, denen diese Art von Vertrauen fehlt, verschwenden ungeheure Mengen an Zeit und Energie darauf, die eigenen Verhaltensweisen und Interaktionen innerhalb der Gruppe zu kontrollieren. Sie fürchten tendenziell Team-besprechungen und scheuen das Risiko, andere um Unterstützung zu bitten oder ihnen Unterstützung anzubieten. Im Ergebnis ist in Teams ohne ein solches Vertrauen die Arbeitsmoral für gewöhnlich niedrig und die unerwünschte Fluktuation hoch.

Die Mitglieder von Teams mit fehlendem Vertrauen ...

- verbergen ihre Schwächen und Fehler voreinander.
- scheuen sich, um Hilfe zu bitten oder konstruktives Feedback zu geben.
- scheuen sich, außerhalb des eigenen Verantwortungsbereichs Hilfe anzubieten.
- ziehen Schlussfolgerungen über Absichten und Fähigkeiten ande-rer, ohne zu versuchen, diese abzuklären.
- erkennen und erschließen die Fähigkeiten und Erfahrungen der anderen nicht.
- verschwenden Zeit und Energie darauf, Verhaltensweisen nach ihrer Wirkung auszurichten.
- hegen Groll.
- fürchten Meetings und finden Gründe, keine Zeit miteinander zu verbringen.

Die Mitglieder von vertrauensvollen Teams ...

- geben Schwächen und Fehler zu.
- bitten um Hilfe.
- akzeptieren Fragen und Beiträge zu ihrem Verantwortungs-
bereich.
- entscheiden im Zweifelsfall zugunsten anderer, ehe sie negative
Schlussfolgerungen ziehen.
- gehen das Risiko ein, Feedback und Unterstützung anzubieten.
- schätzen und erschließen die Fähigkeiten und Erfahrungen der
anderen.
- konzentrieren ihre Zeit und Energie auf wichtige Dinge statt aufs
Taktieren.
- äußern und akzeptieren Entschuldigungen, ohne zu zögern.
- freuen sich auf Meetings und andere Gelegenheiten, als Gruppe
zusammenzuarbeiten.

Vorschläge zur Überwindung von Dysfunktion 1

Wie kann ein Team Vertrauen aufbauen? Leider lässt sich ein auf Offenheit bauendes Vertrauen nicht über Nacht erreichen. Es erfordert vielmehr gemeinsam durchlebte Erfahrungen, eine Reihe von Beispielen konsequenter Auftragserledigung und Glaubwürdigkeit sowie ein vertieftes Verständnis der Charakteristika der einzelnen Teammitglieder. Durch konzentriertes Vorgehen kann ein Team diesen Prozess allerdings dramatisch beschleunigen, sodass in relativ kurzer Zeit Vertrauen entsteht. Hier ein paar Werkzeuge, mit denen sich das bewerkstelligen lässt.

Übung »persönliche Geschichten«

In weniger als einer Stunde kann ein Team die ersten Schritte hin zum Aufbau von Vertrauen unternehmen. Diese wenig riskante Übung erfordert nichts weiter, als in einem Meeting einmal um den Tisch herum die Teammitglieder aufzufordern, eine kurze Liste mit Fragen über sich selbst zu beantworten. Die Fragen sollen gar nicht besonders heikel sein und können sich zum Beispiel beziehen auf: Zahl der Geschwister, Heimatstadt, besondere Herausforderungen in der Kindheit, Lieblingshobby, erste Stelle, schlimmste Stelle ... Bereits durch das Berichten solcher relativ harmloser Eigenheiten und Erfahrungen lernen die Teammitglieder sich auf einer persönlicheren Ebene kennen und erleben einander als Mitmenschen mit Lebensgeschichte und interessantem Hintergrund. Das fördert Empathie und Verständnis und verdrängt unfaire und unzutreffende Verhaltenszuschreibungen. Es ist erstaunlich, wie wenig Teammitglieder mitunter voneinander wissen und wie wenige Informationen bereits genügen, um erste Barrieren abzubauen. (Erforderliche Mindestzeit: 30 Minuten.)

Übung zur Team-Effizienz

Diese Übung ist präziser und aussagekräftiger als die vorangehende, kann aber ein höheres Risiko mit sich bringen. Die Teammitglieder sollen den bedeutendsten positiven Beitrag kennzeichnen, den jeder Teamkollege und jede Teamkollegin für die Gruppe leistet, sowie auch die wichtigste Schwäche, die zum Wohl des Teams verbessert oder abgestellt werden sollte. Alle Teammitglieder tragen ihre Überlegungen vor, jeweils nacheinander auf eine Kollegin oder einen Kollegen bezogen, wobei die Leiterin bzw. der Leiter des Teams in der Regel den Anfang macht.

Diese Übung mag zwar auf den ersten Blick etwas aufdringlich und gefährlich erscheinen, aber es ist erstaunlich, wie gut sie sich oft handhaben lässt und wie viele konstruktive und positive nützliche Informationen dabei in nur einer Stunde gewonnen werden können. Und obwohl die Übung zur Teameffizienz sicher ein gewisses Maß an Vertrauen voraussetzt, wenn sie etwas bringen soll, lässt sie sich doch auch in relativ dysfunktionalen Teams oft mit erstaunlich geringen Spannungen über die Bühne bringen. (Erforderliche Mindestzeit: 60 Minuten.)

Profile zur Persönlichkeits- und Verhaltenspräferenz

Zu den effizientesten und nachhaltigsten Werkzeugen, mit denen sich in einem Team Vertrauen herstellen lässt, zählen Profile zu Verhaltenspräferenzen und Persönlichkeitsstilen der Teammitglieder. Sie tragen dazu bei, Barrieren abzubauen, weil sie den Teilnehmern ermöglichen, besseres Verständnis und Empathie füreinander zu entwickeln.

Das Werkzeug, das ich nutze, um solche Profile zu erstellen, ist der Myers-Briggs-Typ-Indikator (MBTI). Aber es sind auch etliche andere verbreitet, und eines der besten und bekanntesten ist Everything DiSG. Zweck der meisten dieser Werkzeuge ist, praktische und wissenschaftlich relevante Verhaltensbeschreibungen der einzelnen Teammitglieder zu liefern, die von ihrer unterschiedlichen Art zu denken, zu reden und zu handeln ausgehen. Zu den besten Eigenschaften von Werkzeugen wie dem MBTI und DiSG zählen ihre Wertneutralität (kein Typ ist besser als der andere, auch wenn sie sich erheblich voneinander unterscheiden), ihre wissenschaftliche Fundierung (sie haben nicht etwa mit Astrologie oder New Age zu tun) und die aktive Rolle, die die einzelnen Teilnehmer bei der Ermittlung des eigenen Typs spielen (sie erhalten nicht nur einen Computerausdruck oder ein Punktergebnis, das ihren jeweiligen Typ ganz allein bestimmt). Viele dieser Werkzeuge erfordern die Beteiligung eines zugelassenen Beraters, was wichtig ist, um einen Missbrauch der erheblichen Auswirkungen und Anwendungsmöglichkeiten zu vermeiden. (Erforderliche Mindestzeit: 4 Stunden.)

360-Grad-Feedback

Diese Werkzeuge sind in den letzten 20 Jahren beliebt geworden und können zu starken Ergebnissen in Teams führen. Ihr Einsatz ist riskanter als die zuvor vorgestellten Werkzeuge und Übungen, denn sie verlangen den Teamkollegen klare Urteile und konstruktive Kritik aneinander ab. Damit ein solches 360-Grad-Programm gut funktioniert, ist nach meiner Meinung erforderlich, es von den Themen Vergütung und offizielle Leistungsbeurteilung vollständig abzukoppeln. Stattdessen sollte es als ein Werkzeug zur Personalentwicklung eingesetzt werden, das den Mitarbeitern ihre Stärken und Schwächen aufzeigt, ohne dass sie dadurch irgendwelche Konsequenzen zu befürchten hätten. Wenn auch nur eine leise Form der Kopplung an offizielle Leistungsbeurteilung und Vergütung besteht, können 360-Grad-Programme gefährliche taktische Züge annehmen.

Teamerfahrungs-Übungen

Seilkletterkurse und andere Teamerfahrungs-Aktivitäten scheinen in den letzten zehn Jahren einiges von ihrem Glanz eingebüßt zu haben, und das mit Recht. Dennoch werden sie von vielen Teams weiter in der Hoffnung eingesetzt, damit Vertrauen aufbauen zu können. Und solche harten und kreativen Aktivitäten im Freien, die den Teilnehmern gegenseitige Unterstützung und Zusammenarbeit abverlangen, bringen auch sicher einigen Nutzen, allerdings ist es nicht unbedingt ein Nutzen, der sich immer direkt auf die Arbeitswelt übertragen lässt. Wenn man das im Kopf behält, können solche Teamerfahrungs-Übungen aber durchaus wertvolle Werkzeuge zur Verbesserung des Teamworks sein, vorausgesetzt sie bauen auf grundlegenderen und relevanteren Prozessen auf.

✳ ✳ ✳

All diese Werkzeuge und Übungen können kurzfristig beträchtlichen Einfluss auf die Fähigkeit eines Teams haben, Vertrauen aufzubauen, müssen für langfristigen Erfolg aber entsprechende regelmäßige Fortsetzung bei der täglichen Arbeit finden. Individuelle Entwicklungsgebiete müssen immer wieder neu aufgesucht werden, damit sichergestellt ist, dass der Fortschritt nicht an Schwung verliert. Selbst in starken Teams – oder vielleicht sogar gerade dort – kann ein Nachlassen zum Schwinden von Vertrauen führen.

Die Rolle der Führungskraft

Die wichtigste Maßnahme, die eine Führungskraft ergreifen muss, um den Aufbau von Vertrauen im Team zu fördern, ist als Allererstes Offenheit zu demonstrieren. Dazu gehört auch, das Risiko einzugehen, dass vor dem Team die eigene Fassade bröckeln könnte, damit bei anderen Teammitgliedern ebenfalls die Bereitschaft entsteht, dieses Risiko einzugehen. Darüber hinaus müssen Führungskräfte eine Atmosphäre schaffen, in der Offenheit nicht bestraft wird. Denn selbst wohlmeinende Teams können das Vertrauen auf subtile Weise untergraben, wenn Teammitglieder für zugegebene Schwächen oder Fehlleistungen getadelt werden. Und schließlich muss die gezeigte Offenheit einer Führungskraft echt sein; sie darf nicht nur gespielt werden. Es gehört zu den sichersten Wegen, das Vertrauen eines Teams zu verlieren, wenn Offenheit nur vorgetäuscht wird, um die Emotionen der anderen zu manipulieren.

Verbindung zu Dysfunktion 2

Wie steht das alles in Zusammenhang mit der nächsten Dysfunktion, der Scheu vor Konflikten? Durch den Aufbau von Vertrauen werden Konflikte in einem Team erst möglich, weil die Teammitglieder dann auch vor leidenschaftlichen, mitunter emotionalen Debatten nicht mehr zurückschrecken, weil sie wissen, dass sie nicht für Äußerungen kritisiert werden, die sonst vielleicht als destruktiv oder kritisch gewertet werden könnten.

Dysfunktion 2: Scheu vor Konflikten

Alle guten und dauerhaften Beziehungen brauchen konstruktive Auseinandersetzungen, wenn sie wachsen und gedeihen sollen. Das gilt für Ehen, für Eltern-Kind-Beziehungen, für Freundschaften und mit Sicherheit auch fürs Geschäft.

Leider werden Konflikte in vielen Situationen als Tabu betrachtet, besonders im Bereich der Arbeit. Und je höher hinauf die Management-Leiter, desto mehr Leute finden sich, die ungeheure Mengen an Zeit und Energie darauf verwenden, genau die leidenschaftlichen Debatten zu vermeiden, die für jedes gute Team so entscheidend sind.

Es ist dabei wichtig, zu unterscheiden zwischen konstruktiven Auseinandersetzungen um Ideen einerseits und destruktivem Streit oder zwischenmenschlichem Taktieren andererseits. Ideen-Konflikte beschränken sich auf Gedanken und Konzepte und vermeiden persönliche und niederträchtige Attacken. Sie können allerdings durchaus viele der äußeren Merkmale zwischenmenschlicher Auseinandersetzungen aufweisen – Leidenschaft, Emotion, Frustration –, sodass Außenstehende leicht den falschen Eindruck gewinnen, es handle sich hier um unproduktive Uneinigkeit.

Teams, die sich auf konstruktive Auseinandersetzungen einlassen, wissen jedoch, dass es nur darum geht, die bestmögliche Lösung in schnellstmöglicher Zeit zu finden. Sie diskutieren und lösen Probleme schneller und vollständiger als andere, und wenn sie eine hitzige Debatte verlassen, dann gehen sie nicht mit dem Gefühl, dass etwas nicht angesprochen wurde oder Kollateralschäden entstanden sind, sondern mit der freudigen Bereitschaft, gleich das nächste wichtige Problem anzugehen.

Wenn Teams ideologischen Konflikten aus dem Weg gehen, dann tun sie das ironischerweise oft aus dem Grund, dass sie die Gefühle anderer Teammitglieder nicht verletzen möchten, was aber dazu führt, dass gefährliche Spannungen aufgebaut werden. Wenn Teammitglieder über wichtige Ideen nicht offen debattieren und streiten, dann verfallen sie oft auf hinterhältige persönliche Attacken, die dann viel hässlicher und schädlicher sind als jede hitzige Auseinandersetzung um die Sache.

Ebenso ironisch ist, dass viele Leute Konflikten oft im Namen der Effizienz aus dem Weg gehen, obwohl gesunde Konflikte in Wirklichkeit Zeit sparen. Im Gegensatz zu der Meinung, dass Teams mit Auseinandersetzungen nur Zeit und Energie verschwenden, verurteilen sich diejenigen, die Konflikte scheuen, selbst dazu, ein und dasselbe Thema immer wieder zu behandeln und nie zu einer Lösung zu kommen. Oft schlagen sie Teammitgliedern vor, das Thema »offline« zu besprechen, was als Euphemismus dafür bezeichnet werden könnte, ein wichtiges Thema nicht zu behandeln, nur um es dann bei der nächsten Besprechung wieder aufgetischt zu bekommen.

Teams, die Konflikte scheuen ...

- haben langweilige Konferenzen.
- schaffen ein Umfeld, in dem Taktieren hinter dem Rücken des anderen und persönliche Angriffe gedeihen.
- ignorieren strittige Themen, die für den Teamerfolg entscheidend sind.
- schaffen es nicht, die Meinungen und Sichtweisen aller Teammitglieder zu erschließen.
- verschwenden Zeit und Energie darauf, sich in Stellung zu bringen und zwischenmenschliches Risikomanagement zu betreiben.

Teams, die Konflikte austragen ...

- haben lebhafte und interessante Meetings.
- erschließen und verwerten die Ideen aller Teammitglieder.
- lösen wirkliche Probleme schnell.
- minimieren das Taktieren.
- legen kritische Probleme zur Diskussion auf den Tisch.

Vorschläge zur Überwindung von Dysfunktion 2

Wie geht ein Team vor, das die Fähigkeit und Bereitschaft zum Austragen gesunder Konflikte entwickeln will? Der erste Schritt ist die Erkenntnis, dass Auseinandersetzungen konstruktiv sind und viele Teams die Neigung haben, Konflikte zu vermeiden. Solange einzelne Teammitglieder der Meinung sind, Konflikte seien unnötig, wird es kaum zu Konflikten kommen. Aber über diese reine Erkenntnis hinaus gibt es auch einige einfache Methoden, wie häufigere und konstruktivere Auseinandersetzungen herbeigeführt werden können.

Bergbau

In Teams, die dazu neigen, Konflikten aus dem Weg zu gehen, müssen die Mitglieder von Zeit zu Zeit die Rolle eines »Konflikt-Schürfers« übernehmen – einer Person, die nach verborgenen Differenzen im Team sucht und sie zutage fördert. Diese Person muss den Mut und das Selbstvertrauen haben, auch heikle Themen anzusprechen und die Teammitglieder dazu zu bringen, sie auszudiskutieren. Das erfordert ein gewisses Maß an Objektivität in den Meetings und die engagierte Bereitschaft, bei der Sache zu bleiben, bis der Konflikt gelöst ist. In manchen Teams kann der Wunsch bestehen, ein Teammitglied zu ernennen, das diese Aufgabe in einer bestimmten Konferenz oder Diskussion übernimmt.

Genehmigung in Echtzeit

Beim Schürfen nach Konflikten müssen die Teammitglieder sich gegenseitig dabei unterstützen, sich nicht vor einer gesunden Debatte zu drücken. Eine einfache und effektive Möglichkeit dazu besteht darin, zu erkennen, wenn die Leute sich in einer Auseinandersetzung angesichts des Ausmaßes der Uneinigkeit unwohl zu fühlen beginnen, und dann zu unterbrechen und daran zu erinnern, wie notwendig das Ganze ist, was sie tun. Das mag sich simpel und paternalistisch anhören, ist aber ein bemerkenswert effektives Werkzeug, um in einem konstruktiven, aber schwierigen Austausch Spannungen abzuleiten und den Teilnehmern Mut zu machen fortzufahren. Und nach Abschluss der Diskussion oder Konferenz ist es dann hilfreich, die Teilnehmer daran zu erinnern, dass die soeben ausgetragene Auseinandersetzung gut für das Team ist und nicht etwas, das etwa in Zukunft vermieden werden sollte.

Weitere Werkzeuge

Wie schon zuvor in diesem Abschnitt angesprochen, gibt es eine Reihe von Werkzeugen für Persönlichkeitsstile und Verhaltenspräferenzen, die Mitgliedern eines Teams ermöglichen, sich besser zu verstehen. Da die meisten auch Beschreibungen enthalten, wie unterschiedliche Typen mit Konflikten umgehen, können sie dazu genutzt werden, den Mitgliedern eines Teams eine Einschätzung zu geben, wie sie an Konflikte herangehen oder Widerstand leisten werden. Ein weiteres Werkzeug speziell für Konflikte ist das Thomas-Kilman-Modell (oder -Instrument) der Konfliktlösung, abgekürzt TKI. Es gestattet Teammitgliedern, natürliche Neigungen in Bezug auf Konflikte zu verstehen, sodass eine strategischere Wahl des geeignetsten Herangehens in unterschiedlichen Situationen getroffen werden kann.

Die Rolle der Führungskraft

Eine der schwierigsten Herausforderungen für eine Führungskraft, die eine gesunde Streitkultur fördern möchte, ist der Wunsch, die eigenen Teammitglieder vor Schaden zu bewahren. Das führt dazu, dass Streitigkeiten vorzeitig abgebrochen werden, was die Teammitglieder aber daran hindert, eigene Fertigkeiten im Umgang mit Konflikten zu entwickeln. Das ist Eltern nicht ganz unähnlich, die ihre Kinder überfürsorglich vor Streit und Auseinandersetzungen mit Geschwistern beschützen möchten. In vielen Fällen führt das nur dazu, dass in der Beziehung Spannungen entstehen, weil den Beteiligten die Gelegenheit genommen wird, Kompetenz im Konfliktmanagement herauszubilden. Außerdem bleibt der Hunger nach einer Lösung, zu der es niemals kommt.

Daher ist es für eine Führungskraft das Entscheidende, sich zurückzuhalten, wenn die Mitglieder ihres Teams in Konflikt geraten, und abzuwarten, bis es zu einer natürlichen Lösung kommt, so unangenehm das auch mitunter sein kann. Das kann deshalb zur Herausforderung werden, weil viele Führungskräfte in dieser Situation das Gefühl bekommen, ihrer Aufgabe nicht gewachsen zu sein und in der Auseinandersetzung die Kontrolle über ihr Team verloren zu haben.

Und schließlich, so abgedroschen das auch klingen mag, ist für eine Führungskraft entscheidend, dass sie modellhaft angemessenes persönliches Konfliktverhalten an den Tag legen kann. Wenn eine Teamleiterin oder ein Teamleiter einer notwendigen und konstruktiven Auseinandersetzung aus dem Weg geht – was viele Führungskräfte tun –, dann trägt sie dazu bei, dass diese Dysfunktion gedeiht.

Verbindung zu Dysfunktion 3

Wie steht das alles in Beziehung zur nächsten Dysfunktion, dem fehlenden Engagement? Nachdem ein Team eine konstruktive Auseinandersetzung ausgetragen und die Sichtweisen und Meinungen aller Mitglieder erschlossen hat, können die Teilnehmer der anschließenden Entscheidung zuversichtlich zustimmen und sie engagiert mittragen, weil sie wissen, dass die Ideen aller Beteiligten genutzt worden sind.

Dysfunktion 3: Fehlendes Engagement

Wenn es um Teams geht, ist Engagement die Summe zweier Werte: Klarheit und Zustimmung. Gute Teams treffen klare und rasche Entscheidungen und setzen sie dann unter vollständiger Zustimmung aller Teammitglieder um, auch derjenigen, die erst gegen die Entscheidung gestimmt hatten. Wenn die Teilnehmer aus einer Besprechung gehen, dann tun sie das in der Gewissheit, dass niemand im Team mehr heimliche Zweifel daran hegt, ob er die beschlossenen Maßnahmen mittragen kann.

Die zwei wichtigsten Ursachen für fehlendes Engagement sind der Wunsch nach Konsens und das Bedürfnis nach Gewissheit:

- *Konsens:* Gute Teams wissen, wie gefährlich es ist, Konsens anzustreben, und finden Wege, auf denen Zustimmung sich auch dann erreichen lässt, wenn keine völlige Einigkeit möglich ist. Sie wissen, dass vernünftige Menschen nicht unbedingt ihre eigenen Vorstellungen durchsetzen müssen, um eine Entscheidung mitzutragen, sondern lediglich wollen, dass man ihren Standpunkt gehört und geprüft hat. Gute Teams stellen daher sicher, dass die Ideen aller Mitglieder ernsthaft geprüft werden, damit hinterher die Bereitschaft entsteht, sich zur Entscheidung der Gruppe zu bekennen, ganz gleich wie sie ausfällt. Und wenn eine solche Entscheidung aufgrund eines Patts nicht möglich ist, dass dann die Leiterin oder der Leiter des Teams die Entscheidung fällen darf.

- *Gewissheit:* Gute Teams sind auch dann in der Lage, sich hinter eine Entscheidung zu stellen und zu einer klaren Marschrichtung zu bekennen, wenn keine Sicherheit besteht, ob die Entscheidung richtig ist. Denn sie wissen um die Wahrheit des alten militärischen Grundsatzes, dass eine Entscheidung immer besser ist als keine Entscheidung. Sie wissen auch, dass es besser ist, eine Entscheidung entschlossen zu fällen und sich zu irren – und dann ebenso entschlossen den Kurs zu wechseln –, als unschlüssig hin und her zu schwanken.

  Das Gegenteil ist das Verhalten eines dysfunktionalen Teams, das versucht, seine Einschätzung vollständig abzusichern, und wichtige Entscheidungen vertagt, bis ausreichend Daten vorliegen, um ganz sicher sein zu können, dass man die richtige Entscheidung trifft. Das mag zwar vernünftig erscheinen, ist aber aufgrund der Lähmung und der entstehenden Ungewissheit innerhalb der Gruppe trotzdem gefährlich.

  Es ist wichtig, sich daran zu erinnern, dass Auseinandersetzungen die Bereitschaft fördern, sich auch ohne vollkommene Information zu engagieren. In vielen Fällen verfügt ein Team sogar bereits über sämtliche Informationen, die es benötigt, sie sind aber noch in Herz und Kopf der einzelnen Teammitglieder verborgen und müssen erst durch offene Debatten erschlossen werden. Erst wenn jeder seine Meinung und Sichtweise auf den Tisch gelegt hat, kann sich das Team zuversichtlich zu einer Entscheidung bekennen, weil es dann weiß, dass es die kollektive Intelligenz der gesamten Gruppe eingebunden hat.

Ganz gleich, ob fehlendes Engagement durch ein Bedürfnis nach Konsens oder Gewissheit verursacht ist, es ist wichtig zu verstehen, dass in einem *Management*-Team ein fehlendes Engagement für klare Entscheidungen die weitreichende Konsequenz hat, dass sich die Uneinigkeit unentwirrbar auf die gesamte Organisation überträgt. Mehr als bei allen anderen Dysfunktionen breitet sich diese gefährlich wellenförmig unter den Mitarbeitern aus. Wenn es einem Managementteam nicht gelingt, die Zustimmung aller Teammitglieder einzuholen, werden selbst bei scheinbar kleinsten Differenzen die zugeordneten Mitarbeiter unweigerlich Probleme miteinander bekommen, weil sie dann Marschbefehle zu interpretieren versuchen, die mit denen ihrer Kollegen aus anderen Abteilungen nicht genau übereinstimmen. Wie bei einem Wirbelwind entstehen dann aus kleinsten Differenzen zwischen Managern auf den obersten Ebenen einer Organisation gewaltige Diskrepanzen, wenn sie schließlich die unteren Ebenen der Mitarbeiter erreichen.

Ein Team, das sich nicht engagiert ...

- lässt im Team Unklarheit über Richtung und Prioritäten entstehen.
- erlebt, dass sich aufgrund übertriebener Analyse und unnötig langen Zögerns das Fenster zu einer Gelegenheit wieder verschließt.
- sorgt für einen Verlust an Zuversicht und für Furcht vorm Scheitern.
- führt Diskussionen und Entscheidungsprozesse immer wieder neu.
- fördert Besserwisserei unter den Teammitgliedern.

Ein Team, das sich engagiert ...

- sorgt für Klarheit über Richtung und Prioritäten.
- versammelt das gesamte Team hinter gemeinsamen Zielen.
- entwickelt die Fähigkeit, aus Fehlern zu lernen.
- nutzt Chancen, bevor die Konkurrenten es tun.
- kommt ohne Zögern voran.
- nimmt Richtungswechsel ohne Zögern und Schuldgefühle vor.

Vorschläge zur Überwindung von Dysfunktion 3

Wie kann ein Team Engagement herbeiführen? Indem es konkrete Schritte unternimmt, die für maximale Klarheit und Zustimmung sorgen, und der Versuchung von Konsens und Gewissheit widersteht. Hier ein paar einfache, aber effiziente Werkzeuge und Prinzipien.

Weiterverbreitung der Botschaft

Eine der wertvollsten Übungen, denen sich ein Team stellen kann, nimmt nur wenige Minuten in Anspruch und ist absolut kostenlos. Am Ende einer Teambesprechung oder eines externen Workshops sollte das Team noch einmal explizit die wichtigsten Entscheidungen wiederholen, auf die sich die Gruppe geeinigt hat, und auch festlegen, was den Mitarbeitern oder sonstigen Adressaten darüber genau mitzuteilen ist. Oft stellen die Teammitglieder bei dieser Übung fest, dass sie in der Frage, worauf man sich geeinigt hat, gar nicht alle auf dem gleichen Level sind, und sie die genauen Ergebnisse erst klarstellen müssen, bevor sie umgesetzt werden können. Darüber hinaus entsteht auf diese Weise auch Klarheit, welche Entscheidungen vertraulich bleiben und welche den Mitarbeitern schnell und umfassend mitgeteilt werden sollten. Und schließlich übermitteln Führungskräfte durch die Herstellung von Übereinstimmung zum Schluss einer Konferenz auch eine starke und willkommene Botschaft an Mitarbeiter, die bisher nur unklare oder gar widersprüchliche Mitteilungen von Managern gewohnt waren, die aus demselben Meeting kamen. (Erforderliche Mindestzeit: 10 Minuten.)

Termine

So einfach sich das auch anhört, eines der besten Werkzeuge, um Engagement herbeizuführen, ist die Festlegung genauer Termine, wann Entscheidungen zu treffen sind, sowie die disziplinierte und strenge Einhaltung dieser Termine. Der schlimmste Feind von Teams, die für diese Dysfunktion anfällig sind, ist Uneindeutigkeit. Der Zeitplan ist einer der entscheidendsten Faktoren, die klar und eindeutig sein müssen. Die Einigung auf Termine für Zwischenentscheidungen und Meilensteine ist dabei genauso wichtig wie der Endtermin, weil so gewährleistet wird, dass fehlende Übereinstimmung zwischen den Teammitgliedern aufgedeckt und behoben werden kann, bevor die Kosten dafür zu hoch werden.

Analyse von Eventualitäten und Worst-Case-Szenarios

Ein Team, das mit dem Problem Engagement zu kämpfen hat, kann gegen diese Tendenz angehen, indem es vorab für eine Entscheidung, mit der es ringt, kurz Pläne für alle Eventualitäten oder besser noch das Worst-Case-Szenario durchspielt. Das ermöglicht es für gewöhnlich, Ängste zu reduzieren, da deutlich wird, dass man die Kosten einer falschen Entscheidung überleben kann und sie gar nicht so verheerend sind, wie man gedacht hat.

Therapie bei geringem Risiko

Eine weitere zweckmäßige Übung für Teams, bei denen die Scheu vor einem klaren Engagement besteht, ist die Demonstration von Entschlossenheit in einer Situation mit relativ geringem Risiko. Wenn Teams sich zwingen, eine Entscheidung nach ausführlicher Diskussion, aber ohne gründliche Analyse oder Recherche zu treffen, stellen sie für gewöhnlich fest, dass die Entscheidung, die sie getroffen haben, viel besser ist als erwartet. Darüber hinaus lernen sie auch, dass die Entscheidung nach einer langen, zeitaufwendigen Untersuchung durch das Team kaum anders ausgefallen wäre. Das soll nicht heißen, dass Recherche und Analyse unnötig oder unwichtig wären, sondern nur, dass Teams mit dieser Dysfunktion dazu neigen, sie zu überschätzen.

Die Rolle der Führungskraft

Mehr als jedes andere Mitglied des Teams muss die Führungskraft sich bei dem Gedanken wohlfühlen, dass eine getroffene Entscheidung sich schließlich auch als falsch herausstellen könnte. Und die Führungskraft muss die Gruppe ständig drängen, Themen zum Abschluss zu bringen und sich an beschlossene Zeitpläne zu halten. Was die Führungskraft nicht darf, ist, zu viel Wert auf Gewissheit und Konsens zu legen.

Verbindung zu Dysfunktion 4

Wie hängt das alles mit der nächsten Dysfunktion zusammen, der Scheu vor Verantwortung? Wenn Teamkollegen einander für ihr Verhalten und ihr Vorgehen zur Rechenschaft ziehen sollen, dann muss klar sein, was von jedem erwartet wird. Selbst die eifrigsten Anhänger gegenseitiger Verantwortung scheuen für gewöhnlich davor zurück, andere zur Verantwortung zu ziehen, wenn in der betreffenden Angelegenheit keine vollständige Zustimmung erzielt oder nicht einmal wirkliche Klarheit geschaffen wurde.

Dysfunktion 4: Scheu vor Verantwortung

Verantwortung ist ein Schlagwort, dessen Bedeutung durch übermäßige Verwendung unscharf geworden ist, ähnlich wie *Empowerment* oder *Qualität*. Im Hinblick auf Teamwork bezieht sich Verantwortung jedoch ganz konkret auf die Bereitschaft der Teammitglieder, Kollegen in Bezug auf Leistungen und Verhaltensweisen zur Rechenschaft zu ziehen, die dem Team schaden könnten.

Kern einer solchen Dysfunktion ist die fehlende Bereitschaft von Teammitgliedern, das zwischenmenschliche Unbehagen auszuhalten, das sich einstellt, wenn man Kollegen in Bezug auf ihr Verhalten zur Verantwortung zieht, beziehungsweise ganz allgemein die Unlust, schwierige Gespräche zu führen. Die Mitglieder guter Teams überwinden diese natürlichen Neigungen allerdings und »begeben sich in die Gefahrenzone«.

Natürlich ist das leichter gesagt als getan, selbst in funktionierenden Teams mit starken persönlichen Bindungen. Ja, gerade Teammitglieder, die sich besonders nahestehen, nehmen mitunter davon Abstand, einander zur Verantwortung zu ziehen, weil sie fürchten, dadurch ein wertvolles persönliches Verhältnis aufs Spiel zu setzen. Ironischerweise trägt gerade das dann dazu bei, dass die Beziehung Schaden nimmt, weil die Teammitglieder negative Gefühle füreinander zu entwickeln beginnen, wenn Erwartungen nicht erfüllt werden und Beiträge geleistet werden, die die Standards der Gruppe senken. Die Mitglieder guter Teams verbessern ihre Beziehungen dagegen sogar dadurch, dass sie einander zur Verantwortung ziehen, weil sie so zeigen, dass sie einander wertschätzen und hohe Erwartungen an die Leistungen der anderen haben.

So politisch unkorrekt das auch klingt, das effektivste und effizienteste Mittel, um einen hohen Leistungsstandard in einem Team zu halten, ist Gruppendruck. Zu den Vorteilen zählt verminderter bürokratischer Aufwand für Leistungskontrolle und Gegensteuerung. Mehr als alle Maßnahmen und Systeme motiviert die Furcht, respektierte Teamkollegen zu enttäuschen, dazu die Leistungen hoch zu halten.

Ein Team, das Verantwortung scheut ...

- erzeugt negative Gefühle zwischen Teamkollegen mit unterschiedlichen Leistungsstandards.
- fördert das Mittelmaß.
- versäumt Termine und wichtige Lieferziele.
- legt der Teamleitung eine ungeheure Last auf, weil sie zur einzigen Quelle für Disziplin wird.

Ein Team, das sich gegenseitig zur Verantwortung zieht ...

- sorgt dafür, dass Mitglieder mit schwachen Leistungen Verbesserungsdruck spüren.
- erkennt drohende Probleme schnell, weil die jeweiligen Herangehensweisen unverzüglich hinterfragt werden.
- erzeugt Wertschätzung unter den Teammitgliedern, die alle denselben hohen Standards verpflichtet sind.
- vermeidet überhöhten bürokratischen Aufwand für Leistungskontrolle und Gegensteuerung.

Vorschläge zur Überwindung von Dysfunktion 4

Wie geht ein Team daran, gegenseitige Verantwortung herzustellen? Der Schlüssel zur Überwindung dieser Dysfunktion ist, ein paar klassische Management-Werkzeuge einzusetzen, die ebenso einfach wie wirkungsvoll sind.

Bekanntmachung von Zielen und Standards

Eine gute Möglichkeit, um es Teammitgliedern zu erleichtern, einander zur Verantwortung zu ziehen, ist, genau bekannt zu geben, was das Team erreichen muss, wer was zu liefern hat und wie sich jeder verhalten muss, damit sich der Erfolg einstellt. Der Feind der Verantwortung heißt Zweideutigkeit, und selbst wenn sich ein Team anfänglich auf einen Plan oder einen Satz von Verhaltensstandards verpflichtet hat, ist es wichtig, dass diese Übereinkünfte immer im Blick bleiben, damit niemand sie einfach ignorieren kann.

Einfache und regelmäßige Überprüfungen des Fortschritts

Ein klein wenig Struktur trägt viel dazu bei, dass Menschen aktiv werden und Maßnahmen ergreifen, zu denen sie sonst womöglich nicht geneigt wären. Das gilt besonders, wenn es darum geht, Feedback zu Verhalten und Leistungen anderer zu geben. Teammitglieder sollten sich regelmäßig – sei es mündlich, sei es schriftlich – darüber austauschen, wie sich ihrem Eindruck zufolge die Teamkollegen in Bezug auf die festgelegten Ziele und Standards schlagen. Verlässt man sich dagegen ohne klare Erwartungen und Strukturen darauf, dass sie das schon von sich aus tun werden, öffnet man der Scheu vor Verantwortung Tür und Tor.

Team-Belohnungen

Wenn Belohnungen von der individuellen Leistung hin zum Teamerfolg verlagert werden, kann im Team eine Kultur der Verantwortung entstehen. Das liegt daran, dass ein Team kaum ruhig zusehen wird, wie es scheitert, weil ein Teamkollege oder eine Teamkollegin die eigene Last nicht trägt.

Die Rolle der Führungskraft

Eine der schwierigsten Herausforderungen für eine Führungskraft, die einem Team Verantwortung beibringen will, ist, zu fördern und zuzulassen, dass das Team als erster und hauptsächlicher Mechanismus für Verantwortung fungiert. Starke Führungskräfte erzeugen mitunter auf natürliche Weise ein Verantwortungs-Vakuum im Team, das sie dann als einzige Quelle der Disziplin ausweist. Das erzeugt ein Umfeld, in dem die Teammitglieder annehmen, die Führungskraft werde die anderen schon zur Verantwortung ziehen, und Mängel auch dann nicht ansprechen, wenn sie sie sehen.

Hat eine Führungskraft dagegen eine Kultur der Verantwortung im Team geschaffen, muss sie auch bereit sein, als letzter Schiedsrichter in puncto Disziplin zu fungieren, wenn das Team selbst damit keinen Erfolg hat. Das sollte aber ein seltenes Ereignis bleiben. Dennoch muss allen Teammitgliedern klar sein, dass die Verantwortung nicht durch ein Konsens-Verfahren ersetzt wurde, sondern nur zur gemeinsamen Teampflicht geworden ist, und dass die Führungskraft des Teams, wenn nötig, nicht zögern wird einzuschreiten.

Verbindung zu Dysfunktion 5

Wie hängt das alles mit der nächsten Dysfunktion zusammen, der fehlenden Ergebnis-Orientierung? Wenn Teammitglieder für ihre Beiträge nicht zur Verantwortung gezogen werden, steigt die Wahrscheinlichkeit, dass sie sich ihren eigenen Bedürfnissen widmen sowie dem eigenen Vorankommen beziehungsweise dem ihrer Abteilung. Fehlende Verantwortung ist eine Einladung an die Teammitglieder, ihre Aufmerksamkeit anderen Bereichen als den Gruppenzielen zuzuwenden.

Dysfunktion 5: Fehlende Ergebnis-Orientierung

Die schlimmste Dysfunktion eines Teams ist die Neigung seiner Mitglieder, andere Ziele zu verfolgen als die gemeinsamen Ziele der Gruppe. Eine unbedingte Konzentration auf konkrete Ziele und klar definierte Ergebnisse ist für jedes Team erforderlich, das sich nach seiner Leistung bewertet. An dieser Stelle sollte festgehalten werden, dass sich die Ergebnisse nicht auf finanzielle Größen beschränken, wie etwa Gewinn, Umsatz oder Aktionärsrendite. Es ist zwar richtig, dass in einem kapitalistisch geprägten wirtschaftlichen Umfeld viele Unternehmen ihren Erfolg letztlich nach solchen Größen beurteilen, aber diese Dysfunktion bezieht sich auf eine viel weiter gefasste Definition von Ergebnissen, auf eine Definition, die mit ergebnisorientierter Leistung zu tun hat.

Jedes gute Unternehmen legt fest, was es in einem bestimmten Zeitraum zu erreichen plant, und diese Ziele machen, mehr als die von ihnen abhängigen finanziellen Größen, den Großteil der kurzfristigen, beeinflussbaren Ergebnisse aus. Der Gewinn kann für ein Unternehmen also zwar der höchste Ergebnismaßstab sein, aber die Ziele, die sich die Manager auf dem Weg dahin setzen, stellen ein weit typischeres Beispiel für die Ergebnisse dar, die es als Team verfolgt. Letztlich sind es diese Ziele, die zum Gewinn führen.

Aber auf welche anderen Ziele als die Ergebnisse kann ein Team denn konzentriert sein?

Die wichtigsten Kandidaten sind Team-Status und individueller Status:

- *Team-Status:* In manchen Teams sind die Mitglieder schon zufrieden, dass sie dieser Gruppe überhaupt angehören. Das Erreichen bestimmter Ergebnisse kann für sie dann zwar wünschenswert sein, lohnt aber nicht unbedingt große Opfer und Mühen. So lächerlich und gefährlich sich das auch anhören mag, solchen Status-Verlockungen fallen durchaus viele Teams zum Opfer. Dazu zählen oft altruistische Non-Profit-Organisationen, für die das Ehrenwerte ihrer Mission schon Befriedigung genug sein kann. Auch politische Gruppierungen, akademische Einheiten oder renommierte Unternehmen können für diese Dysfunktion anfällig sein, weil es oft schon als Erfolg gilt, mit dieser ganz besonderen Einrichtung in Verbindung zu stehen.
- *Individueller Status:* Dies bezieht sich auf die verbreitete Neigung der Menschen, sich zulasten des Teams auf die Verbesserung der eigenen Position und der eigenen Karriereaussichten zu konzentrieren. Zwar haben alle Menschen einen angeborenen Selbsterhaltungstrieb, doch ein funktionierendes Team muss die gemeinsamen Ziele der Gruppe für den Einzelnen wichtiger machen als die individuellen Ziele der Mitglieder.

So offensichtlich diese Dysfunktion auch auf Anhieb erscheinen mag, und so klar auch ist, dass sie vermieden werden muss, so wichtig ist es auch festzuhalten, dass viele Teams schlicht nicht ergebnisorientiert arbeiten. Sie leben und atmen nicht, um wichtige Ziele zu erreichen, sondern einfach nur um zu existieren und zu überleben. Der fehlende Wunsch zu gewinnen kann aber leider in keiner Gruppe durch noch so viel Vertrauen, Konflikte, Engagement und Verantwortung wieder wettgemacht werden.

Ein Team, das nicht ergebnisorientiert ist ...

- stagniert/wächst nicht.
- setzt sich selten gegen Kontrahenten durch.
- verliert leistungsorientierte Mitarbeiter.
- ermuntert Teammitglieder, sich auf die eigene Karriere und individuelle Ziele zu konzentrieren.
- ist leicht abzulenken.

Ein Team, das sich an den Gruppenzielen orientiert ...

- hält leistungsorientierte Mitarbeiter.
- minimiert individualistisches Verhalten.
- genießt Erfolge und leidet heftig unter Niederlagen.
- profitiert von Personen, die eigene Ziele/Interessen dem
  Wohl des Teams unterordnen.
- meidet Ablenkungen.

Vorschläge zur Überwindung von Dysfunktion 5

Wie kann ein Team dafür sorgen, dass seine Aufmerksamkeit auf die
Ergebnisse konzentriert bleibt? Indem für Klarheit gesorgt wird, welche
Ergebnisse angestrebt werden, und nur solche Verhaltensweisen und
Handlungsweisen belohnt werden, die zu diesen Ergebnissen beitragen.

Öffentliche Bekanntgabe der Ergebnisse

In den Augen eines Fußball- oder Basketball-Trainers gehört zum
Schlimmsten, was ein Teammitglied tun kann, öffentlich zu garantieren, dass sein Team ein bevorstehendes Spiel gewinnen wird. Im Fall
eines Sportteams ist das ein Problem, weil es den Gegner unnötig pro-
vozieren kann. Für die meisten Teams kann es aber sehr hilfreich sein,
vorab öffentliche Erklärungen über die angestrebten Erfolge abzugeben.

Bei Teams, die bereit sind, sich öffentlich auf konkrete Ziele festzulegen, ist die Wahrscheinlichkeit höher, dass sie mit leidenschaftlicher,
vielleicht sogar verzweifelter Hingabe dafür arbeiten, diese Ergebnisse
auch zu erreichen. Teams dagegen, die nur sagen »Wir werden unser
Bestes tun«, bereiten sich damit subtil oder vielleicht sogar absichtlich
auf ihr Scheitern vor.

Ergebnisabhängige Belohnung

Ein wirkungsvolles Verfahren um sicherzustellen, dass die Aufmerksamkeit der Teammitglieder auf die Ergebnisse konzentriert bleibt,
besteht darin, Belohnungen, insbesondere die Vergütung, an das Erreichen bestimmter Ergebnisse zu knüpfen. Sich allein darauf zu stüt-
zen kann allerdings problematisch sein, da es davon ausgeht, dass finanzielle Anreize der einzige Motor des Handelns sind. Wird dagegen
ein Bonus schon dafür gewährt, dass jemand »es ernsthaft versucht«

hat, auch wenn die Ergebnisse gar nicht erreicht wurden, sendet das die Botschaft aus, dass das tatsächliche Erreichen der Ergebnisse letztlich vielleicht gar nicht so furchtbar wichtig ist.

Die Rolle der Führungskraft

Vielleicht mehr noch als bei allen anderen Dysfunktionen muss für die Konzentration auf die Ergebnisse die Führungskraft den Ton vorgeben. Wenn die Teammitglieder den Eindruck gewinnen, dass die Führungskraft etwas anderes wertschätzt als die Ergebnisse, dann werden sie das als Erlaubnis betrachten, selbst das Gleiche zu tun. Teamleiter und Teamleiterinnen müssen selbstlos und objektiv sein und Belohnung und Anerkennung für diejenigen reservieren, die echte Beiträge zum Erreichen der Gruppenziele leisten.

Zusammenfassung

Bei allen hier gegebenen Informationen bleibt die Wahrheit, dass Teamwork letztlich auf der Anwendung einer kleinen Zahl Prinzipien über einen langen Zeitraum basiert. Erfolg ist keine Frage der Befolgung subtiler, raffinierter Theorien, sondern geht einher mit gesundem Menschenverstand durch ein außergewöhnlich hohes Maß an Disziplin und Beharrlichkeit.

Erfolg haben Teams ironischerweise, wenn sie überdurchschnittlich menschlich sind. Indem sie die Unvollkommenheit der menschlichen Natur anerkennen, überwinden die Mitglieder funktionierender Teams jene natürlichen Neigungen, die Vertrauen, Konflikte, Engagement, Verantwortung und Ergebnisorientierung so selten machen.

Ein Hinweis zum Thema Zeit: Kathryns Methoden

Kathryn wusste, dass ein starkes Team beträchtlich viel Zeit miteinander verbringt und auf diese Weise in Wirklichkeit viel Zeit spart, weil Missverständnisse vermieden und überflüssige Bemühungen und Gespräche minimiert werden. Alles in allem haben Kathryn und ihr Team pro Quartal etwa acht Tage in regulär geplanten Meetings verbracht, was weniger als drei Tage pro Monat ausmacht. Aber so wenig das auch insgesamt betrachtet erscheint, die meisten Managementteams schrecken davor zurück, so viel Zeit miteinander zu verbringen, und wollen stattdessen lieber »die wirkliche Arbeit« erledigen.

Auch wenn es viele unterschiedliche Methoden gibt, ein Managementteam zu führen, sind Kathryns Methoden doch eine nähere Betrachtung wert. Es folgt eine Beschreibung, wie Kathryn ihren Stab geführt hat, nachdem die anfänglichen externen Teambildungs-Workshops und die dafür erforderlichen erheblichen Zeitinvestitionen vorbei waren:

- Jährliche Planungskonferenzen und Führungsentwicklungs-Workshops (drei Tage, extern): Mögliche Themen: Budget-Diskussionen, Bericht über die zentrale Strategieplanung, Führungsfortbildung, Nachfolgeplanungen, Weitergabe der Informationen
- Vierteljährliche Stabskonferenzen (zwei Tage, extern): Mögliche Themen: Berichte über die wichtigsten Ziele, Finanzbericht, Strategiediskussionen, Gespräche über die Leistungen der Mitarbeiter, Entscheidungen über Schlüsselthemen, Teamentwicklung, Weitergabe der Informationen
- Wöchentliche Stabskonferenzen (zwei Stunden, intern): Mögliche Themen: Bericht über Schlüsselaktivitäten, Bericht über den Zielfortschritt, Umsatz-Bericht, Kunden-Bericht, Beschluss über taktische Themen, Weitergabe der Informationen
- Ad-hoc-Themenkonferenzen (zwei Stunden, intern): Mögliche Themen: Strategische Themen, die während der wöchentlichen Stabskonferenzen nicht angemessen behandelt werden können

Würdigung eines besonderen Falls von Teamwork

Als ich kurz vor der Vollendung dieses Buchs stand, ereigneten sich die schrecklichen Terroranschläge des 11. September 2001 in den USA. Inmitten all der Tragödien war ein ganz besonders beeindruckendes Beispiel für Teamwork zu sehen – ein Beispiel, das hier gewürdigt werden muss.

Die Männer und Frauen der Feuerwehr, Rettungs- und Polizeikräfte von New York, Washington und Pennsylvania haben unter Beweis gestellt, dass Gruppen von Menschen, die zusammenarbeiten, Dinge zustande bringen können, die eine reine Vielzahl von Einzelnen im Traum nicht schaffen könnte.

In Noteinsatzberufen wie diesen entwickeln die Teammitglieder in Zusammenarbeit und Zusammenleben so starke Vertrauensbande, dass nur Familien damit konkurrieren können. Das ermöglicht ihnen, in konzentrierter, ungefilterter Debatte rasch das zu wählende Vorgehen festzulegen, wenn jede Sekunde kostbar ist. Als Ergebnis sind sie in der Lage, sich auch unter gefährlichsten Bedingungen hinter eindeutige Entscheidungen zu stellen, in denen die meisten Menschen erst weitere Informationen verlangen würden, bevor sie Maßnahmen ergreifen. Und da so viel auf dem Spiel steht, zögern sie auch nicht, ihre Kollegen anzutreiben und an die Verantwortung zu mahnen, dass jeder seine Last trägt, denn sie wissen, dass auch nur ein einziges Teammitglied, das nicht alles gibt, den Verlust von Menschenleben verursachen kann. Letztlich haben sie nur ein Ziel vor Augen: das Leben anderer zu retten.

Abschließend entscheidend sind für ein gutes Team die Ergebnisse. Und angesichts der Tatsache, dass Zehntausende Menschen aus den Türmen des World Trade Center in New York und dem Pentagon in Washington noch entkommen konnten, gibt es keinen Zweifel, dass die Teams, die hier ihr Leben riskiert und zum Teil verloren haben, großartig waren.

Gott segne sie, ebenso die Opfer und Überlebenden, für deren Rettung sie zusammengearbeitet haben.

Danksagungen

Dieses Buch ist das Ergebnis von Teamarbeit, nicht nur während der Zeit des Schreibens, sondern auch schon während meiner Ausbildung und Berufslaufbahn. Ich würde gern den Menschen danken, die in meinem Leben eine maßgebliche Rolle gespielt haben.

Als Erstes danke ich dem Chef meines eigenen ersten Teams, meiner Frau Laura. Meine Wertschätzung für deine bedingungslose Liebe und dein unermüdliches Engagement für mich und unsere Jungs kann ich nicht angemessen in Worte fassen. Und ich danke Matthew und Connor, die bald in der Lage sein werden, eines meiner Bücher zu lesen – obwohl sie Dr. Seuss sicher vorziehen werden. Ihr macht mir so viel Freude!

Als Nächstes gilt meine aufrichtige Dankbarkeit meinem Team von The Table Group, ohne deren Ideen, redaktionelle Arbeit und Leidenschaft dieses Buch nicht zustande gekommen wäre. Für Amys nette Beurteilung und Intuition, Tracys außergewöhnliche und endlose Sorgfalt, Karens freundliche Unterstützung, Johns stilistische Klugheit, Jeffs optimistische Intelligenz, Micheles Einfühlungsvermögen und Humor und Erins jugendliche Authentizität. Ich bin immer wieder erstaunt und gerührt über die Intensität und Qualität eures Engagements. Durch euch habe ich mehr über wirkliches Teamwork gelernt als durch jede andere Gruppe, die ich kannte, und dafür danke ich euch.

Ich möchte für die Unterstützung und Liebe meiner Eltern danken. Ihr habt mir immer das emotionale Sicherheitsnetz zur Verfügung gestellt, das ich brauchte, um Risiken eingehen und meinen Träumen nachjagen zu können. Und ihr habt mir so vieles gegeben, das ihr nie selbst hattet.

Danke an meinen Bruder Vince, für deine Begeisterung, deine Stärke und dein Interesse.

Und an meine Schwester Ritamarie, für deine Klugheit, deine Liebe und deine Geduld, die mir mit jedem Jahr mehr bedeuten.

Und an die Hunderte Cousins, Tanten, Onkel und Schwiegereltern – die Lencionis, die Shanleys, die Fanucchis und die Gilmores. Danke für euer Interesse und eure Freundlichkeit, die mir viel bedeutet, auch wenn viele von euch weit weg wohnen.

Danke an Barry Belli, Will Garner, Jamie und Kim Carlson, die Beans, die Elys und die Patchs für euer Interesse und eure Freundschaft über die Jahre.

Ich danke den vielen Managern und Mentoren, die ich während meiner Berufslaufbahn hatte. Sally DeStefano, für Ihre Zuversicht und Ihre Nettigkeit. Mark Hoffman und Bob Epstein, für Ihr Vertrauen. Nusheen Hashemi, für Ihre Begeisterung. Meg Whitman und Ann Colister, für Ihren Rat und Ihre Unterstützung. Und Gary Bolles, für Ihre Ermunterung und Freundschaft.

Ich danke Joel Mena, für Ihre Leidenschaft und Liebe. Rick Robles, für Ihr Training und Ihren Unterricht. Und vielen anderen Lehrern und Trainern, die ich an der Our Lady of Perpetual Help School, der Garces High School und dem Claremont McKenna College hatte.

Ich danke den vielen Kunden, mit denen ich über die Jahre zusammengearbeitet habe, für Ihr Vertrauen und Ihr Engagement dafür, ein gesünderes Unternehmen aufzubauen.

Ganz besonders danken möchte ich meinem Agenten Jim Levine, für Ihre Bescheidenheit und Ihr Bestehen auf Qualität beziehungsweise, wie es meine Frau ausdrückt, dafür, dass Sie mich »demütig in den Hintern treten«. Und meiner Redakteurin Susan Williams, für Ihre Begeisterung und Flexibilität. Dank an alle bei Jossey-Bass und Wiley, für Ihre Beharrlichkeit, Ihre Unterstützung und Ihr Engagement.

Und schließlich und mit Sicherheit am wichtigsten richte ich all meinen Dank an Gott, den Vater, den Sohn und den Heiligen Geist, für alles, was ich bin.

Über den Autor

Patrick Lencioni ist Gründer und Vorsitzender von The Table Group, einer Firma, die Organisationen Ideen, Produkte und Dienstleistungen liefert, mit denen sie Betriebsabläufe, Teamwork und Engagement ihrer Mitarbeiter verbessern können. Lencionis Begeisterung für Unternehmen und Teams kommt in Schreiben, Reden und Beratungstätigkeit zum Ausdruck. Lencioni ist Verfasser mehrerer Bestseller, die sich zusammen über 3 Millionen Mal verkauft haben. Neben dem Schreiben berät Lencioni Geschäftsführer und ihre Managementteams, wie sie im Rahmen ihrer Geschäftsstrategie den inneren Zusammenhalt verbessern können. Die umfassende Gültigkeit seiner Führungsmodelle hat Lencioni einen breit gestreuten Kundenstamm beschert, der von Fortune-500-Unternehmen über Profisportvereine, das Militär, Non-Profit-Organisationen und Universitäten bis zu kirchlichen Institutionen reicht. Außerdem spricht Lencioni jedes Jahr vor Tausenden von Führungskräften auf Konferenzen weltweit tätiger sowie nationaler Organisationen.

Patrick lebt mit seiner Frau Laura und den vier gemeinsamen Söhnen Matthew, Connor, Casey und Michael in der San Francisco Bay Area.

Wenn Sie mehr über Patrick und die Produkte und Dienstleistungen seiner Firma The Table Group erfahren wollen, besuchen Sie bitte www.tablegroup.com.